ANN MIDLER

JE PEUX
TOUT
FAIRE !

La fin du règne
de la superfemme

LES ÉDITIONS
POP

Conception graphique : Katia Senay

© Les Éditions PoP, 2e trimestre 2010

© Les Éditions Quebecor
Cet ouvrage est basé sur un ouvrage
précédemment publié chez Les Éditions Quebecor :
Midler, Ann. *Le syndrome de la superfemme,* 2001.

Imprimé en Canada

ISBN : 978-2-89638-645-1

INTRODUCTION
VIVRE, MAIS QUELLE VIE?

Elle travaille sans compter ses heures, elle a des enfants, elle fait les courses, gère l'agenda familial, suit des cours pour rester à jour dans son domaine, suit un programme d'entraînement physique pour garder la forme et sa silhouette, s'occupe de ses parents vieillissants quand elle ne les héberge pas. Elle fait ses confitures maison entre deux voyages pour conduire les enfants à leurs activités, elle repasse sa nappe blanche avant de recevoir ses amis dans les grands plats le samedi soir après avoir fait ses quelques heures de bénévolat hebdomadaire.

C'est une superfemme.

Du temps pour elle, elle en aura éventuellement un jour. Quand elle craquera, peut-être.

En attendant, elle court, s'essouffle à suivre le rythme que la société lui a demandé de suivre pour être une vraie femme accomplie. Elle court, s'essouffle, pour répondre à la demande de cette foutue culpabilité qui la gouverne, pour tenter d'atteindre la perfection. Elle s'active à être bonne, parfaite, irréprochable, dans tous les domaines. C'est une bonne travailleuse dont le patron ne peut faire que l'éloge. Elle ne rechigne jamais devant le labeur, est toujours disponible, ne dit jamais non.

Une perle, c'est une perle, voilà, le mot est lâché.

Mais une perle qui passe à côté de sa vie, constamment à la recherche de l'approbation, de la sienne propre ou de celle des autres. Une perle dure comme une roche envers elle, qui ne sait pas se pardonner et qui a bien des chances, à ce rythme, de courir à sa perte. Ne lui offrez pas d'aide : elle n'en a pas besoin.

Croit-elle.

Dit-elle.

Au fond, simplement, accepter quelle que forme de soutien que ce soit reviendrait en quelque sorte à révéler une certaine forme de faiblesse alors qu'elle est une tough. Les autres savent d'ailleurs souvent le lui rappeler. Lorsqu'elle traverse des difficultés en les balayant, semble-t-il, du revers de la main, en gardant le cap et en ne basculant jamais, ils lui disent : « Comme tu es forte. Je t'admire. J'aimerais avoir cette force. Comment fais-tu ? » Voilà pour elle des compliments qui la ragaillardissent et la confortent dans sa manière d'être et de vivre.

Certes, oui, il n'y a pas de mal à être forte.

Il s'agit là d'une qualité réelle qui peut effectivement aider à traverser plus aisément, plus positivement les tempêtes. Se laisser abattre et abandonner n'est jamais la solution à adopter. Mais tout le monde a aussi droit, de temps à autre, de dire : « Je n'en peux plus », « Je suis vannée », « C'est difficile », « Aidez-moi un peu ! ». Pour la superfemme, par contre, prononcer de telles paroles devient un acte d'humilité immense qui s'avère excessivement difficile à poser ; même l'aide qui lui est offerte sans qu'elle ait à la demander est, pour elle, difficilement acceptable. Elle se dit alors que les autres la sous-estiment, qu'ils la prennent en pitié et elle ne souhaite nullement devenir le fardeau de quiconque. Et puis, elle a souvent l'impression, simplement, de ne pas mériter ce qu'on lui offre. Sous des dehors qui donnent l'impression que ces femmes sont les plus sûres d'elles-mêmes, au fond, elles sont peut-être celles qui le sont le moins.

Pendant un temps, la vie de la superfemme peut paraître très intéressante, tout au moins vue de l'extérieur. Une vie bien remplie, active, pleine de présences, de monde. D'ailleurs, même la super-femme voit longtemps sa propre vie de la sorte.

Jusqu'à ce que, un jour ou l'autre, une défaillance d'un quelconque ordre se manifeste, qu'un déclencheur vienne tout faire bousculer et remettre ce rythme en question ainsi que sa propre vie en entier, par le fait même.

VOUS RECONNAISSEZ-VOUS ?

Ce livre vous aidera d'abord à vous reconnaître, à vous faire réaliser que vous faites probablement partie de ce type de femmes. Déjà, ce faisant, vous aurez franchi une étape importante. Pour échapper à la débandade, il faut toujours, d'abord, en prendre conscience. Puis, vous apprendrez à comprendre pourquoi vous êtes devenue cette superfemme, quels sont les mécanismes qui vous gouvernent, ce qui vous pousse, inconsciemment, à agir de la sorte.

Vous découvrirez par ailleurs ce qui vous guette si vous ne cherchez pas à corriger un peu votre tir. Enfin, vous découvrirez des moyens à mettre en pratique pour vous aider à changer. Parce qu'il vous faudra changer, n'en doutez pas.

Et ce sera difficile, car changer est toujours difficile.

Mais lorsqu'il en va de notre qualité de vie, de notre vie, carrément, de nos amours et de nos amitiés, le jeu en vaut sûrement la chandelle. On ne vit qu'une fois et la vie passe excessivement vite. C'est maintenant, aujourd'hui, dans le moment présent qu'il faut vivre à plein. Mais est-ce que vivre à plein signifie gagner, performer et surtout plaire, ou bien être soi, pleinement soi, vraiment soi, le plus souvent possible ?

À ce stade de votre lecture, votre idée est probablement déjà bien faite sur la question.

Mais ouvrez-vous à d'autres possibles.

Si vous avez ce livre entre les mains aujourd'hui c'est que déjà vous avez des incertitudes sur votre comportement et votre style de vie. Celui que vous avez adopté depuis fort longtemps ne vous convient peut-être plus si bien. C'est donc sans doute que vous devez vous tourner vers autre chose, que vous êtes rendue ailleurs ou, à tout le moins, prête à prendre un départ pour ailleurs. Une vie plus sereine et tout aussi vivante vous attend de l'autre côté de ce livre. Une vie plus près de vous, de vos vraies questions, celles desquelles vous vous étiez sans doute constamment détournée jusqu'à ce jour ; une vie plus à l'écoute de vos besoins.

ET LE SUPERHOMME ?

Avant d'entrer dans le vif du sujet, j'aimerais glisser un petit mot sur les hommes.

Certains se demanderont peut-être pourquoi un livre sur le syndrome de la superfemme et pourquoi pas sur le syndrome du superhomme. D'abord, oui, reconnaissons-le, des superhommes, il en existe. Mais ils sont moins nombreux au portillon que leurs vis-à-vis féminins. Des hommes qui travaillent trop, il y en a à profusion ; sans doute plus que de femmes. Mais c'est là, surtout là, que se situe leur principal excès. Quoi qu'on en dise, ils sont encore rares ceux qui se donnent autant que les femmes à la maison, auprès de la famille, des amis et de la parenté. Les hommes ont à leur avantage une capacité que bien peu de femmes possèdent, c'est-à-dire celle d'arriver à tourner les coins ronds. C'est d'ailleurs en partie ce qui les sauve. La plupart du temps, par ailleurs, ils ont plus de facilité à dire « non », ce qui participe aussi à les mettre à l'abri du syndrome.

Puis, ils savent bien que nous sommes là et que nous somm...
bonnes pour faire toutes ces choses, d'autant plus qu'ils ont derri...
eux toute l'histoire de l'humanité pour s'en convaincre !

Bonnes, oui, nous sommes bonnes.

Mais pas connes !

Alors, cessons de tout prendre sur nos larges épaules. Apprenons
à laisser un peu plus de place à nos hommes. S'ils n'en ont pas pris
davantage, c'est peut-être que nous ne leur en avons pas vraiment
laissé la chance. Non, ils ne font pas les choses comme nous et il y a
de bonnes chances pour qu'ils ne le fassent jamais. Et après ? Une fois
que nous aurons accepté nos différences et cessé d'espérer fonctionner de la même façon, nous nous comprendrons et nous compléterons
beaucoup mieux. Laissez-les vous aider, à leur façon, sans repasser
derrière eux et apprenez de leur souplesse. Apprenez à comprendre
qu'ils ont peut-être finalement raison, parfois, lorsqu'ils vous disent
que « ça ne presse pas » ou « on fera ça demain » ou encore « arrête
de t'énerver »...

La superfemme s'ignore. Elle ne voit rien dans son comportement
qui soit démesuré. Pour elle, c'est ainsi que la vie se vit et elle ne peut
s'imaginer fonctionner autrement. Elle n'a rien à faire de ceux qui
l'implorent de ralentir, qui lui rappellent sans arrêt qu'elle en fait trop ;
elle n'en a rien à faire pour la simple et bonne raison qu'elle a plutôt
l'impression de ne jamais en faire assez. Pour tenter de se défaire de
cette impression, elle mène donc de front mille et un projets, mille et
une occupations. Et comme si faire tant de choses n'était pas suffisant,
elle porte en elle une maxime qui ne la quitte pas d'un pas : « Tout ce
qui doit être fait mérite d'être bien fait », se répète-t-elle inlassablement, peut-être, souvent, en entendant l'écho de la voix de ses parents
qui ont tant, et si bien employé cette phrase pendant des années.

Par ailleurs, si elle est prête à accorder sans compter son aide et son soutien à autrui, elle, elle n'en a pas besoin : elle sait tout faire, peut tout faire, sait se débrouiller dans toutes les circonstances et n'a donc besoin de l'aide de personne. Déranger les autres, demander service, ce n'est vraiment pas sa tasse de thé.

En fait, la superfemme se caractérise beaucoup par les hautes exigences qu'elle s'impose à elle-même, de par son intransigeance. Elle doit faire ses preuves, autant pour elle que pour les autres, prouver qu'elle est capable, qu'elle peut, qu'elle est efficace. Et cette démonstration ne peut certainement pas passer par la paresse ou l'oisiveté, desquelles elle se tient d'ailleurs bien loin.

Que peut-on trouver au fond de ces nids douillets ?

Se reposer, relaxer, prendre le temps sont des notions qui n'existent pas dans le vocabulaire de la superfemme. Tous ces mots sont synonymes de perte de temps et, perdre leur temps, elles en sont incapables. Elles préfèrent nettement optimiser leur temps, en faire le plus possible en moins de temps possible : performance, efficacité, voilà à quoi carburent ces femmes. Leur vie est une vraie course contre la montre, elles sont de véritables queues de veau, étourdissantes à voir aller. Elles sont profondément engagées dans tous les chapitres de leur vie. Aucune des sphères ne doit souffrir du temps et de l'énergie consentis ailleurs. Elles doivent donc être d'aussi bonnes mères que d'excellentes travaillantes. Elles doivent être des amies et des filles d'une exemplaire disponibilité, des citoyennes engagées. Elles veulent être parfaites.

Rien de moins.

La barre est haute chez les superfemmes.

CHAPITRE 1

PORTRAIT DE LA SUPERFEMME

SUPERTRAVAILLANTES

Le travail est souvent un lieu exquis pour elles ; elles en ont d'ailleurs besoin autant que d'eau pour vivre parce qu'elles y trouvent de nombreuses occasions de faire leurs preuves. Le milieu de travail exige, plus que n'importe quel autre, et plus que jamais, l'efficacité, l'efficience, la performance. Sur ce terrain, elles se sentent donc comme des petits poissons dans l'eau. Plus il y a de défis à relever plus elles sont remontées à bloc. Les superfemmes sont bien entendu des supertravaillantes. Elles se donnent là autant qu'ailleurs, sinon plus.

Plus tôt elles peuvent arriver au bureau le matin, mieux elles se sentent. Souvent, d'ailleurs, elles sont les premières arrivées et les dernières à le quitter le soir. Entre les deux, elles auront couru toute la journée pour en faire le plus possible ; elles n'auront pas pris le temps de dîner ou l'auront fait sur le pouce, en travaillant, de manière à optimiser ce fameux temps si précieux. Elles se réveillent la nuit en pensant à leur réunion du lendemain et peuvent se lever prendre des notes lorsqu'une idée géniale leur traverse l'esprit. Elles apportent du travail à la maison la plupart du temps et s'y mettent dès que les enfants sont au lit. La fin de semaine, elles prennent au moins un petit moment juste pour lire un petit document. Les vacances ne peuvent même pas les arrêter tout à fait. Si leur corps est bel et bien au bord de la mer, leur esprit est ailleurs : au bureau. L'oisiveté, elles ont du mal ; beaucoup de mal. Et puis, elles n'ont pas le choix ; elles ont tellement de pain sur la planche, du pain qui leur revient et que personne d'autre ne peut façonner à leur place. Après tout, n'est-on jamais mieux servi que par soi-même ? Pourquoi faire faire par les autres quelque chose que nous devrons certainement reprendre et revérifier par la suite ?

Passer au travers d'une tâche ardue est pour elles quelque chose de hautement satisfaisant. Jamais, ainsi, il ne leur viendra à l'esprit de se priver de ce plaisir en passant le flambeau à d'autres. Elles savent qu'en bout de ligne elles pourront regarder le boulot réalisé avec un sentiment du devoir accompli, et s'approprier les résultats, la réussite, ce qui vaut son pesant d'or. Cela les stimule tellement qu'elles cherchent même à en prendre toujours davantage sur leurs épaules. Elles ne voient pas ces ajouts comme un fardeau additionnel, mais comme des occasions supplémentaires de se dépasser.

Si par un malencontreux hasard le boulot se fait plus discret durant une période, elles ne se sentent pas au sommet de leur forme, elles ont l'impression de perdre leur temps ; si, par un mauvais tour du sort, elles se trouvent momentanément fatiguées, elles ne s'accorderont pas le repos qui pourrait leur permettre de reprendre leurs forces.

Elles n'ont pas le temps, voire même, pas le droit de se l'accorder.

Évidemment, ce rythme effréné, cette efficacité et cette course à la performance ne sont pas inscrits dans les gènes de tout un chacun. Aussi, les supertravaillantes ont-elles souvent du mal à accepter la manière de travailler de leurs collègues ; elles ont l'impression qu'ils n'en font pas beaucoup et qu'ils pourraient en faire, en fait, bien plus. L'incompétence, par ailleurs, où qu'elle se trouve, les met hors d'elles. Plus que quiconque, elles en rencontrent souvent sur leur route. C'est pourquoi elles préfèrent la plupart du temps travailler seules, à l'abri des manquements professionnels des autres.

La tâche des supertravaillantes, même si elles ne le voient pas comme tel, est néanmoins lourde.

Lorsque l'on considère qu'elle s'ajoute aux supertâches d'une supermaman, d'une superépouse, d'une superfille, d'une superamie, etc., on peut commencer à apercevoir sans mal la démesure et le lot de problèmes que la situation ne peut faire autrement que d'entraîner, un jour ou l'autre. Même si elles croient dur comme fer pouvoir équilibrer leurs différentes zones de vie, elles se leurrent. Il y a tout au moins une zone qui souffre de cette démesure, et c'est là leur propre, celle qui se situe à l'intérieur d'elles-mêmes.

Mais ça…

COMPÉTITION ET DÉMESURE

La farouche compétition qu'entraînent dans leur sillage les superfemmes rend souvent le milieu de travail plutôt pénible pour les collègues qui carburent un tant soit peu à d'autres valeurs. Ceux qui aiment travailler en équipe et qui cherchent à entretenir ce genre d'atmosphère ou d'esprit de travail risquent fort d'être déçus avec une superfemme supertravaillante dans les environs. En leur présence, le moral des troupes peut avoir tendance à se miner et les conflits se propager comme une traînée de poudre. Sa présence dans un bureau augmente le niveau de stress de tout un chacun et peut même finir par avoir des répercussions jusque sur le taux d'absentéisme.

Par ailleurs, si les superfemmes sont des candidates parfaites à l'épuisement professionnel, leur attitude est aussi en mesure de provoquer cet épuisement chez leurs collègues. Oui, les supertravaillantes prennent de la place dans un bureau, beaucoup de place ; et il faut être fait fort pour réussir à garder la sienne, à continuer d'avoir confiance en soi et en sa créativité. Il faut avoir bon caractère pour ne pas se mettre dans tous ses états chaque fois que madame se montre impatiente et irritée parce que les choses ne vont pas suffisamment rondement pour elle. Pour compliquer davantage les choses, communiquer avec elle n'est pas toujours chose facile. L'avoir comme patron est d'ailleurs encore plus difficile que de l'avoir comme collègue. Comme patron, elle n'est en effet nullement à l'écoute de ses employés ; elle mène la barque à la manière d'un despote et ne reconnaît pas les efforts louables qui sont pour elle tout à fait normaux. Vous n'en ferez d'ailleurs probablement jamais assez pour satisfaire ses attentes.

Qui craquera en premier ? Vous, elle ? L'histoire ne le dit pas.

Elle est différente dans chaque entreprise.

Mais il finit toujours par y avoir quelqu'un qui craque — et il y en a de plus en plus. Regardez autour de vous pour vous en convaincre rapidement. Je connais à moi seule, en ce moment, cinq femmes qui sont en arrêt de travail pour épuisement professionnel ; certaines d'entre elles étaient des supertravaillantes, d'autres ont été poussées trop loin, trop longtemps, par des supertravaillants ou des super-travaillantes. Tôt ou tard, ce système du trop, trop vite, tout le temps finit par exploser. S'il laisse croire pendant un temps qu'il favorise la productivité, la réalité finit par se pointer avec ses armes lourdes. Personne ne peut tenir un rythme si inhumain éternellement. Et la réalité finit par coûter cher à tout le monde : aux individus, aux entreprises, à la société.

EN VACANCES, VOUS AVEZ DIT ?

Les vacances des superfemmes risquent davantage de ressembler à un véritable marathon. Elles ne sont pas du genre à s'installer à un endroit pour ne plus en sortir durant deux semaines ; il leur faut voir le plus de paysages et de gens possible en moins de temps possible, arrêter partout sur leur passage où habitent des connaissances ou de la parenté, et surtout ne pas perdre la moitié des journées au lit. Si on veut avoir le temps de faire tout ce qu'on a à faire, il faut se lever tôt; l'itinéraire est détaillé et planifié à l'avance et le voyage organisé au quart de tour. Ce sera un voyage rentable ou il ne sera pas.

Est-il nécessaire de dire que les superfemmes en vacances ne profitent pas de cette période pour chasser le stress, bien au contraire! Non seulement, leur agenda de vacances est rempli à craquer, laissant peu de moments au farniente, mais elles sont en outre stressées par ce qu'elles ne sont pas au... boulot et que quelque chose de puissant les convainc que c'est pourtant là qu'elles devraient se trouver. En d'autres mots, elles se sentent coupables d'être en vacances. D'ailleurs, plusieurs d'entre elles finissent un jour ou l'autre par passer outre; elles ont en banque des semaines et des semaines de vacances qu'elles n'ont pas réussi à prendre. Ainsi, lorsqu'elles réussissent à le faire, c'est souvent avec quelques compromis en bandoulière, comme de traîner le cellulaire partout, sur le green comme à la plage. Évidemment, pour l'entourage, c'est un calvaire. Mais c'est ça ou rien, puisqu'elle n'a pas le choix. Alors, ils endurent. Pendant un temps...

SUPERMAÎTRESSES DE MAISON!

À la maison, dans leurs activités, dans leurs relations, les superfemmes se conduisent aussi démesurément qu'elles le font au boulot, car leur démesure ne fait pas de distinction entre les différents domaines de leur vie; elle règne en maître à tous les échelons.

Ainsi, les superfemmes ne peuvent pas vivre dans une maison en désordre. Elles aiment que tout soit à sa place, que la maison sente bon le citron. Pas question non plus de vivre avec des lits défaits à longueur de journée (pas même une journée de temps en temps) ou avec de la vaisselle qui traîne dans le lavabo ou sur le comptoir. Les lits sont religieusement changés toutes les semaines, le grand ménage fait tous les printemps et tous les automnes et la balayeuse déroule son long tuyau hebdomadairement, en même temps que le plumeau virevolte d'un bibelot à un autre et la vadrouille d'une pièce à l'autre. La lessive ne s'accumule pas chez une superfemme : à chaque jour sa brassée et la maison sera bien gardée ! Tout est minutieusement plié à mesure afin de minimiser les faux plis et ceux qui se voient résister à ces bons soins se feront réchauffer le coton par le fer à repasser.

Normal, direz-vous, banal ?

Oui, peut-être, autrefois. Au temps où nos mères (elles n'aimeraient pas nous entendre) n'avaient que ça à faire.

Mais les temps ont bien changé.

Aujourd'hui, en plus de continuer de devoir faire ce que nos mères prenaient toute la journée à faire, nous travaillons la plupart du temps toute la journée à l'extérieur. Peut-être pourrions-nous réaliser que cela n'a aucun sens, que c'est trop ? La superfemme ne l'a pas réalisé encore. Peut-être pourrions-nous nous accorder le droit de tourner un peu les coins ronds ? La superfemme ne s'accorde pas ce droit. C'est une bonne femme. Une bonne épouse. Une bonne ménagère. Ce n'est pas parce qu'elle travaille que toute la maisonnée est obligée d'en pâtir. Alors, elle en remet. Un repas vite fait ? Vous voulez rire ? Non. Dans la maison d'une superfemme on mange bien, on mange santé. Pas de repas préparés, ni congelés et encore moins livrés. Tout est fait à la main, quitte à y sacrifier le dimanche après-midi. Lorsqu'elle reçoit, la superfemme ne fait pas les choses à moitié. Elle passe quelques jours à éplucher ses livres de recettes pour trouver celles qui feront la joie de ses hôtes et les épateront. Chez elle, on ne reçoit pas à la bonne franquette ; on met plutôt les petites assiettes dans les grandes. Pour s'assurer d'avoir les meilleurs produits, elle ira courir d'une épicerie à une autre, commençant souvent le jeudi, sur son heure de dîner, pour finir le samedi matin avant de passer le reste de la journée à la cuisine. Ce sera parfait ! De l'entrée au dessert, en passant par l'apéro, les gâteries pour les enfants, les fleurs fraîches et la nappe impeccable. Oui, elle est attentive, attentionnée, c'est le moins que l'on puisse dire. On ne sortira pas de chez elle en disant que c'était moche, que c'était trop peu, trop cuit ou pas assez et, tout compte fait, bien ordinaire. Elle mettra tout en place pour que ce soit au contraire excellent. Peu importe qu'elle ait eu une semaine d'enfer, qu'elle soit fourbue, épuisée et qu'elle ait bien d'autres choses à faire. Une autre aurait pu décider de remettre le souper à une autre semaine, expliquer à ses amis qu'elle était trop fatiguée, s'excuser, et proposer un autre moment. Pas la superfemme ; elle est plus forte que cela.

Si elle pratique un sport, le golf, par exemple, ou le tennis, elle s'y consacre aussi corps et âme. Évidemment, le seul temps qu'elle a à consacrer à son loisir préféré se situe quelque part vers 6 h 00 du matin, avant le boulot. Elle se lève donc à l'heure des poules, prépare toute la petite famille pour la journée pendant que tout le monde dort encore et hop !, elle s'en va performer. Pas question de jouer à la légère, de nuire ou de retarder les coéquipiers. Aussi, avant de se lancer dans un quelconque loisir, elle prend bien soin de prendre des cours qui lui assureront une bonne technique et, avec un peu de talent, de bons résultats. Elle est tellement bonne qu'elle participe à des compétitions, et comme elle a un peu de temps à donner elle met son nez dans l'organisation des tournois et les partys de fins de saison !

La superfemme est partout. À la voir aller on pourrait croire, on aurait envie de croire qu'elle a un double puisqu'il semble presque impossible qu'une seule personne puisse arriver à en faire autant.

CHAPITRE 2
LE DON DE SOI

Les superfemmes pratiquent assidûment le don de soi.

Partout, dans tous les domaines, c'est ce qu'elles font : elles se donnent. Elles donnent tout ce qu'elles ont, à leur patron, à leur conjoint, à leur famille, à leurs amis, etc. On se demande comment elles peuvent arriver à faire tout ce qu'elles ont à faire dans une journée — on dirait qu'elles bénéficient de journées de 48 heures ! Pourtant, évidemment, il n'en est rien, elles ne disposent pas de plus de temps que n'importe quel autre être humain. Seraient-elles surhumaines ? C'est peut-être en tout cas ce qu'elles pensent.

La disponibilité d'une superfemme est aussi légendaire. On peut compter sur elle pour venir nous aider à tout moment ; elle trouvera le moyen de créer un temps libre dans son horaire. Et ne nous leurrons pas : elle ne fait pas tout cela en espérant un retour du balancier lorsqu'elle aura besoin de nous à son tour, car tout ce qu'elle fait, elle le fait gratuitement et sans malice. Elle préfère, de loin, donner que recevoir. D'ailleurs, recevoir, elle ne sait pas bien ; il s'agit pour elle d'un exercice difficile à réaliser et qu'elle préfère éviter. Elle-même ne se donne d'ailleurs pas grand-chose pour la simple et bonne raison que, malgré ses réussites diverses, elle ne s'aime pas beaucoup. Toute cette action démesurée cache un manque de confiance flagrant et d'estime de soi tout aussi déficient. Lorsque l'on porte en soi ces armes lourdes, on ne ressent pas le besoin de faire ses preuves inlassablement aux autres ou à soi-même.

Au même rythme où le don de soi donne à celle qui l'offre le sentiment de contrôle, de pouvoir et d'indispensabilité, il crée chez celui qui s'habitue à recevoir et à compter sur elle une dépendance qui permet encore à la superfemme d'assurer son rôle *ad vitam æternam*. Ainsi, de la sorte, en vérité, personne ne se rend service et tout le monde finit par être dépendant de tout le monde, puisque la superfemme dépend du besoin qu'ont les autres d'elle. Contre toute attente, oui, les superfemmes sont des femmes dépendantes, codépendantes.

Sans les autres, elles ne sont plus rien.

ET SI L'ON PARLAIT DE DÉPENDANCE?

Il est difficile de détecter si le don de soi devient compulsif parce qu'il s'agit d'un geste honoré, socialement apprécié et respecté. Lorsqu'on se donne ainsi, on est *de facto* casé dans la catégorie des bonnes personnes. Nous faisons du bien ; comment cela pourrait-il être mal ? Lorsqu'on travaille trop, l'entourage et même le travailleur compulsif lui-même peuvent assez rapidement avoir des doutes sur la sagesse de l'affaire.

Mais lorsqu'on se donne trop, que l'on se dévoue à nos proches et amis comme une mère Teresa en herbe, il ne semble y avoir rien là, pour personne, qui puisse être négatif. Pourtant, dans n'importe quel domaine, trop, c'est trop. Ou trop, c'est comme pas assez, comme disaient nos sages mères. Mais pour les compulsifs, rien n'est jamais assez, car ils continuent inlassablement de courir après leur estime personnelle. Comme un alcoolique qui se sent mieux après avoir vidé quelques bouteilles, celui qui se donne trop se sent bien après avoir aidé, soutenu, répondu aux besoins d'un autre. Mais ce moment de satisfaction est très court. Pour le ressentir encore et se sentir mieux à nouveau, il faut recommencer, ailleurs, avec d'autres. Plus on aide, plus on se sent mieux, plus souvent. Alors, aidons, donnons-nous. Voilà le credo de ces femmes qui ne savent pas, cela étant dit, ce qui les pousse véritablement à agir de la sorte et qui se croient simplement habitées par une bonne volonté et un grand altruisme. Au fond, elles se donnent peut-être bien plus qu'elles n'offrent. La recette de ce bonheur artificiel utilise cependant des ingrédients indigestes et n'emprunte pas la bonne méthode. Nous sommes dans le domaine du faux-semblant pur et dur, du déni, de la course en avant pour fuir la peine troublante.

À ce rythme, tôt ou tard, c'est l'explosion assurée qui risque de se produire. Mais comment arrêter de fuir, comment arriver à trouver du bonheur ailleurs, autrement et plus honnêtement : comment se valoriser autrement ? Il n'est pas facile pour ces femmes de décider de mettre un frein à leur dévouement excessif pour la simple et bonne raison que dès qu'elles ralentissent, elles ont l'impression de devenir de « mauvaises » personnes et c'est bien la dernière chose qu'elles ont envie de ressentir puisque c'est précisément ce qu'elles cherchent à fuir.

Ce qu'elles doivent apprendre à faire, autant pour aider les autres que pour s'aider elles-mêmes, c'est de briser ce cercle de dépendance qui s'est installé. Chacun doit reprendre le contrôle sur sa propre vie et laisser les autres se prendre en charge. Cela ne signifie pas que l'on doive désormais vivre chacun pour soi comme de parfaits égoïstes. Seulement, notre manière d'aider mérite de devenir plus... aidante. Un des buts ultimes de la vie est certainement de devenir autonome et indépendant. C'est ce que nous tâchons d'inculquer aux enfants dès leur plus jeune âge, mais ça peut prendre une bonne partie de la vie pour y arriver réellement et pour certains encore davantage de temps et d'efforts que pour d'autres. Une chose est sûre : si notre souhait est d'agir véritablement par amour, envers qui que ce soit, nous devons apprendre à aider en ayant toujours en tête le désir d'apprendre à l'autre à s'autosuffire le plus souvent possible, à trouver en lui-même les solutions à ses problèmes. Il ne revient pas aux autres de trouver nos solutions ni de les appliquer. Les autres ne devraient être là que pour nous soutenir, jamais pour prendre les décisions à notre place.

Lorsque les superfemmes réussiront à comprendre cette réalité, elles s'aideront déjà beaucoup elles-mêmes. Elles auront beaucoup moins l'impression que le sort de l'humanité repose sur leurs épaules et respireront du coup beaucoup mieux. Mais bien sûr, avant d'y arriver, elles devront commencer par admettre qu'elles ont véritablement tendance à prendre les autres en charge, puisqu'il y a de bonnes chances qu'elles ne s'en aperçoivent pas, si habituées qu'elles sont à fonctionner de la sorte depuis des décennies.

L'INFLUENCE SOCIALE

Notre éducation, entre autres choses, nous a lentement, mais sûrement, orientées vers le syndrome de la superfemme. Très tôt, nous avons été soumises aux règles de la compétition, invitées à nous dépasser et à dépasser les autres, à relever les défis, à être les meilleures...

À la maison comme à l'école, ces valeurs nous ont été transmises comme étant la voie qu'il fallait emprunter pour s'assurer une vie riche et réussie. Si on s'appliquait tôt à chercher à être dans les premiers, nous nous assurions de demeurer en tête du peloton toute la vie durant — enfin, nous mettions en tout cas toutes les chances de notre côté. Il y avait très certainement quelque chose de vrai dans cet enseignement, mais il y avait aussi des lacunes que notre système d'éducation est d'ailleurs en train de chercher à corriger. Le système d'évaluation des élèves tend de moins en moins à se faire à l'aide de notes et davantage par le biais de critères plus généraux qui tiennent compte d'un ensemble de réalités.

Autrefois, lorsqu'un enfant obtenait de mauvaises notes, il était vite catalogué du côté des cancres, de ces gens de qui on ne peut attendre grand-chose. Aujourd'hui, heureusement, on commence à comprendre qu'en dépit de notes moins reluisantes un enfant peu cacher tout de même une belle et grande intelligence propice à l'entraîner plus loin que ses notes pourraient le laisser présager. Il est à espérer que les parents emboîtent le pas et changent aussi leur fusil d'épaule.

Mais pour tous ceux d'avant la présente génération qui n'ont pas pu bénéficier de ce changement de mentalité, le mal est fait et bien fait. En deçà de l'excellence, ils ne se sentent pas à la hauteur et ressentent carrément l'échec. Pour tout ce beau monde, l'estime de soi est tributaire des réussites, des étoiles au cahier, des médailles, des promotions, etc. Par ailleurs, l'échec dans un projet devient synonyme d'un échec personnel, d'un échec de soi.

Personne, nulle part, jamais, ne nous a appris à faire la différence entre nous, notre propre valeur, et la valeur de ce que nous faisons ; personne ne nous a jamais appris que le fait de faillir dans une opération ne faisait pas de nous de moins bonnes personnes. On nous a par ailleurs appris, la plupart du temps, à nous valoriser par le faire. Plus on en fait, plus on court la chance d'être vénéré, admiré, nous a-t-on laissé entendre. De la sorte, être reconnu socialement est devenu le but ultime à atteindre.

Épatez la galerie et vous serez heureux ! Oubliez-vous, défoncez-vous, réussissez, voilà le secret du bonheur !

Voilà plutôt le mensonge grossier dans lequel nous vivons presque tous et dans lequel se noient carrément les superfemmes. Plus que quiconque, ces dernières ont adhéré dur comme fer à cette mentalité — elles sont les proies de prédilection des exigences sociales.

Heureusement pour elles, la recherche du bien-être global commence à être un sujet fort populaire qui finira bien par les atteindre, par la voie de ce livre ou d'autres encore. Partout on s'interroge sur nos styles de vie et on se demande si on ne s'est pas trompé. Nos quêtes puériles nous ont laissés pantois et nous nous mettons désormais à la recherche d'une nouvelle donne : le nouvel âge et tout ce qu'il représente est une sorte de réponse qui nous est offerte ; le retour à la spiritualité en est une autre, la recherche du bonheur qui serait d'abord en soi en est une autre encore.

La table est mise. Mais il y a fort à faire, et particulièrement dans le monde du travail où la compétition est omniprésente. Un bon candidat, une bonne recrue, un bon employé se doivent d'être compétitifs pour reluire sur le tableau des employés du mois. La compétition est rentable pour les employeurs de tout acabit ; ils ne sont donc pas à la veille de la décréter persona non grata. Les compagnies ne souffrent pas de la compétition ; les employés, si. Si les relations de travail sont si souvent tellement tendues, c'est que chacun est en compétition directe avec son prochain ; chacun cherche à protéger son territoire, à augmenter son pouvoir, à améliorer sa cote : que le meilleur gagne ! Et il n'y a plus de place que pour les meilleurs sur le marché du travail.

Alors, on n'a pas le choix. On se donne au maximum, on met toute notre énergie à réussir. Pour ce faire, il faut bien faire des sacrifices. Et c'est la vie personnelle qui écope, et nos relations, et le corps, et bientôt la santé mentale. Parce que trop c'est trop. Parce que le déséquilibre n'est pas sain.

Mais la société nous a appris à courir après la perfection, la réussite, l'argent, et non après le bonheur. Il faut individuellement frapper notre Waterloo pour comprendre que l'erreur était de taille. Ce n'est pas la société qui nous ramènera sur une voie plus saine, plus sereine, mais bien chacun d'entre nous. Il nous faut changer l'idée que nous nous faisons des sommets et comprendre qu'ils ne sont pas le bout du monde. Après avoir atteint le faîte, il y a en a toujours un autre à atteindre, puis un autre, qui nous laisse toujours aussi vide, aussi en attente de quelque chose de plus, de mieux.

Les buts qui ne nous sont qu'extérieurs ne sauront jamais nous combler tout à fait ; le véritable but de l'existence, celui sur lequel nous gagnerions tous à nous concentrer est notre satisfaction personnelle, l'accomplissement de notre personnalité propre.

LA FAUSSE ILLUSION DE LA RÉPARTITION DES TÂCHES

Dans la plus vaste majorité des foyers, où les deux parents travaillent, précisons-le, qui voit aux lunchs tous les matins, et qui a pensé, bien avant de les faire, à ce qu'il y ait suffisamment de boîtes de jus dans le frigo pour passer au travers de la semaine ? Qui a fait la liste d'épicerie, en l'augmentant fidèlement chaque fois qu'un article venait à manquer et qui a finalement fait l'épicerie, en rentrant du boulot, plus tôt que l'autre, pour avoir le temps de la faire avant d'aller chercher les enfants, qui à l'école, qui à la garderie ? Qui ? La madame ! C'est encore ainsi que les choses se passent dans une bien grande majorité de chaumières.

Et qui pense, dès le mois de mars, à la saison estivale qui s'en vient et aux longues vacances des enfants qu'il faudra bien trouver à occuper de manière stimulante, amusante, pas trop chère, etc. C'est la madame. C'est elle qui lit les revues familiales à la recherche de ce camp de jour formidable, qui fait venir les dépliants, qui appelle, qui s'occupe de l'inscription. Pour les semaines où les enfants n'iront pas au camp, la même madame élaborera des scénarios compliqués pour les caser convenablement chez les uns et chez les autres, chez tante Doris une semaine, puis trouvera une petite gardienne qui viendra les amuser à la maison quelques jours, puis, puis...

À l'automne, qui préparera la rentrée scolaire ? C'est encore la madame qui partira en quête des nouveaux vêtements, des articles scolaires et qui, toute l'année, veillera à regarder tous les soirs dans le sac d'école pour vérifier l'agenda, les mille petits mots du directeur et du professeur et qui se penchera sur les devoirs, plus souvent qu'à son tour. Entre-temps, elle n'oubliera pas de prendre les rendez-vous chez le dentiste, de s'y rendre le mois suivant, de manquer le boulot pour aller chez le pédiatre avec le petit dernier, etc. Certains ou peut-être même certaines, diront, que c'est exagéré, que ce n'est plus comme ça, que la situation a changé, que les hommes en font beaucoup plus qu'avant. Oui, certes, ils en font peut-être un peu plus, et certains beaucoup plus, ce qui n'arrivait presque jamais avant. C'est déjà bien, mais c'est encore trop peu. Parce que les femmes aussi se sont mises à en faire plus. Elles se sont mises au travail à l'extérieur en même temps que les hommes se sont mis à la cuisine et à la lessive.

Mais tout le reste leur incombe encore dans la majorité des foyers et encore davantage dans ceux des superfemmes. C'est un peu de leur faute, vous avez raison, car si elles prenaient moins les choses en charge les autres sentiraient peut-être davantage la nécessité de mettre la main à la pâte.

Mais pour l'heure, on dirait bien que cet engagement des hommes, s'il avait gagné du terrain pendant quelques années, est en train de rebrousser chemin. La vague des hommes roses et fiers de l'être aura été de bien courte durée. S'ils ont aimé se faire traiter de la sorte durant un moment, déjà ils se sentent nettement plus confortables lorsqu'on les qualifie d'hommes vrais, voire tendrement machos. Pas facile pour les hommes non plus de s'ajuster à tout ça, car il faut bien reconnaître qu'ils nagent en ce moment en pleine confusion, ne sachant plus très bien sur quel pied danser. Mais c'est leur problème, nous avons bien assez des nôtres pour l'instant !

Pour les femmes au travail qui sont aussi mères, la situation est encore plus difficile. En plus d'avoir évidemment un surplus de tâches à accomplir, elles doivent vivre constamment avec un sentiment de culpabilité et l'impression troublante de toujours tout faire à moitié. Elles ont encore souvent l'impression de ne pas être de bonnes mères, de ne pas être suffisamment disponibles pour leurs enfants. Du reste, il arrive fréquemment qu'elles doivent affronter ce sujet avec leurs propres mères qui voient encore souvent d'un mauvais œil le fait que leurs petits-enfants puissent bénéficier si peu de la présence de leur mère. Elles-mêmes ont souvent pu bénéficier de la présence de leur propre mère à la maison pendant leur enfance et trouvent injuste de devoir infliger leur absence à leurs enfants. Mais en même temps, elles savent pertinemment qu'elles ne pourraient pas demeurer à la maison à temps plein.

Elles sont déchirées et constamment prises entre l'arbre et l'écorce ; il s'agit là d'une réalité difficile à porter, qui leur gruge déjà une bonne part de leur énergie.

DEUX FOIS PLUS !

Dans le milieu du travail comme ailleurs, les femmes doivent encore bien souvent en faire deux fois plus que les hommes pour être reconnues à leur juste valeur. Heureusement, cette réalité tend à s'estomper, au fur et à mesure que les femmes prennent de plus en plus de place sur le marché du travail et davantage encore depuis qu'elles occupent des postes de direction. De plus en plus, on est obligé de constater leurs qualités, leurs forces et elles gagnent d'année en année leurs lettres de noblesse. Mais la tâche n'est pas mince. Elles doivent encore davantage faire leurs preuves que les hommes pour obtenir un poste ou des responsabilités plus importantes et apprendre à vivre avec les railleries qui sillonnent leur marche quotidienne vers leurs buts personnels. Elles doivent encore gagner chèrement la confiance des dirigeants et même de leurs collègues.

C'est encore là une tâche supplémentaire à ajouter aux autres. Et il s'agit là, encore une fois, d'une tâche qui comporte des éléments émotifs non négligeables et en lien direct avec l'estime de soi. Les femmes doivent se montrer fortes pour réussir à passer par-dessus toutes les embûches que leur seule condition leur impose. Elles n'y réussissent pas toutes. Plusieurs abdiquent, rendent les armes, souvent après avoir perdu d'âpres batailles où elles se sont fait mal.

De plus, un salaire égal pour un travail égal n'est pas encore quelque chose d'ancré dans le monde du travail. Les femmes gagnent encore moins que les hommes, dans bien des cas. Si elles veulent accéder aux mêmes privilèges, elles doivent encore une fois se battre, individuellement et collectivement, ce qui les amène à dépenser encore de l'énergie supplémentaire et du temps que les hommes peuvent consacrer à autre chose.

De manière générale, les femmes font de moins bons salaires que les hommes; elles sont plus nombreuses à vivre pauvrement, voire même sous le seuil de la pauvreté. Quantité d'entre elles ont des enfants à charge et doivent user de beaucoup d'imagination, de talent et de courage pour arriver à faire vivre tout leur monde convenablement. Pour ce faire, elles ne sont pas rares à devoir cumuler les emplois précaires. Il y a évidemment parmi elles bon nombre de superfemmes et bon nombre de superfemmes qui craquent.

CHAPITRE 3

QUI SE CACHE DERRIÈRE
LA SUPERFEMME ?

DEUX FOIS PLUS !

Dans le milieu du travail comme ailleurs, les femmes doivent encore bien souvent en faire deux fois plus que les hommes pour être reconnues à leur juste valeur. Heureusement, cette réalité tend à s'estomper, au fur et à mesure que les femmes prennent de plus en plus de place sur le marché du travail et davantage encore depuis qu'elles occupent des postes de direction. De plus en plus, on est obligé de constater leurs qualités, leurs forces et elles gagnent d'année en année leurs lettres de noblesse. Mais la tâche n'est pas mince. Elles doivent encore davantage faire leurs preuves que les hommes pour obtenir un poste ou des responsabilités plus importantes et apprendre à vivre avec les railleries qui sillonnent leur marche quotidienne vers leurs buts personnels. Elles doivent encore gagner chèrement la confiance des dirigeants et même de leurs collègues.

C'est encore là une tâche supplémentaire à ajouter aux autres. Et il s'agit là, encore une fois, d'une tâche qui comporte des éléments émotifs non négligeables et en lien direct avec l'estime de soi. Les femmes doivent se montrer fortes pour réussir à passer par-dessus toutes les embûches que leur seule condition leur impose. Elles n'y réussissent pas toutes. Plusieurs abdiquent, rendent les armes, souvent après avoir perdu d'âpres batailles où elles se sont fait mal.

De plus, un salaire égal pour un travail égal n'est pas encore quelque chose d'ancré dans le monde du travail. Les femmes gagnent encore moins que les hommes, dans bien des cas. Si elles veulent accéder aux mêmes privilèges, elles doivent encore une fois se battre, individuellement et collectivement, ce qui les amène à dépenser encore de l'énergie supplémentaire et du temps que les hommes peuvent consacrer à autre chose.

De manière générale, les femmes font de moins bons salaires que les hommes; elles sont plus nombreuses à vivre pauvrement, voire même sous le seuil de la pauvreté. Quantité d'entre elles ont des enfants à charge et doivent user de beaucoup d'imagination, de talent et de courage pour arriver à faire vivre tout leur monde convenablement. Pour ce faire, elles ne sont pas rares à devoir cumuler les emplois précaires. Il y a évidemment parmi elles bon nombre de superfemmes et bon nombre de superfemmes qui craquent.

Du camouflage, voilà ce que font les superfemmes, voilà un de leurs plus grands talents. Elles ont peur, en s'arrêtant, de devoir faire face à des fantômes qui savent si bien se taire dans l'action. Choisir d'endosser le rôle de superfemme est donc une manière de se terrer, de faire taire les émotions. Pas le temps d'y penser, surtout lorsqu'on est constamment entouré, car il faut reconnaître que les superfemmes sont rarement seules. De la sorte, elles sont bien protégées de ces émotions qui proviennent souvent d'un monde révolu, celui de l'enfance. Ce que nous y avons vécu, qu'il s'agisse de honte ou de rejet devant des parents exigeants et insatisfaits, peut effectivement et bien évidemment nous suivre bien longtemps et nous diriger directement dans le piège de la recherche de la perfection. Ce que nous tentons de faire là, c'est de faire taire les erreurs, les manquements du passé ou de répondre aux énormes attentes que nous n'avons pas su relever et que nous portons comme un boulet toute notre vie, comme si on se disait constamment: « Oui, je vais réussir », « Oui, je vais leur montrer que je peux, que je suis capable ».

En fait, les superfemmes noient leur chagrin, leur colère et leur déception du passé en travaillant et en s'activant à différentes choses de manière tout à fait compulsive. C'est une manière de passer outre, d'oublier. Elles ignorent toutefois ce qu'elles sont en train de faire autant qu'elles ignorent qu'un tel mécanisme de défense est toujours, mais alors là, toujours voué à l'échec. Pour certaines, le processus peut être plus lent que pour d'autres, et les dommages prendre des années avant de se révéler au grand jour. Mais en silence, subrepticement, pendant des années, ils se sont tout de même taillé une place bien réelle dans le corps et dans le cœur de ces femmes.

COMPULSIVES

Naturellement, on ne peut pas vivre éternellement de cette façon, à côté de son soi véritable, en dehors de ses sentiments réels. Tant que nous le faisons, il est inévitable que nous sentions en nous un vide que rien n'arrive jamais à remplir, un sentiment d'inconfort que rien ni personne ne peut venir combler. Un bon résultat au travail peut, momentanément, nous donner l'impression d'être heureux, complet, vivant, tout comme aider quelqu'un dans le besoin ; mais c'est un sentiment passager qui nécessite continuellement une autre réussite. Tout est toujours à recommencer, tant et aussi longtemps que nous nous jaugeons à partir de ce que nous faisons et réussissons au lieu de baser notre estime sur ce que nous sommes vraiment, intrinsèquement.

Les superfemmes sont des êtres compulsifs, au même titre que le sont les joueurs, les alcooliques ou les toxicomanes. La seule différence est la béquille elle-même. Au lieu d'utiliser l'alcool, le jeu ou les drogues pour geler leurs émotions ; les superfemmes ont choisi l'action, l'action démesurée. Elles cherchent à retrouver là un peu de confiance, un peu d'estime, un peu de bien-être.

De prime abord, on pourrait croire que le choix est moins dommageable, autant pour elles que pour la société, mais il n'en est rien. Nous verrons ultérieurement combien les superfemmes sont sujettes à bien des maux physiques, à bien des douleurs émotionnelles qui peuvent les mener au fond du baril, qui peuvent, pour l'une, prendre la forme d'un burnout, pour l'autre, d'une dépression, etc. Plus que les autres béquilles, l'action démesurée est un piège terrible parce que la société encourage ce type de comportement et que ses effets néfastes sont moins visibles, moins facilement reliables à la cause. Aussi, lorsqu'on tente de faire prendre conscience à une superfemme ou à une supertravaillante (une n'allant souvent pas sans l'autre), on a intérêt à se lever de bonne heure. Elle ne voit pas ce qu'il y a de mal à son comportement et ne croit nullement qu'il y ait lieu de s'inquiéter. D'ailleurs, ne réussit-elle pas d'une manière exemplaire ? N'est-elle pas appréciée, aimée, n'est-elle pas débordante d'énergie, ne gagne-t-elle pas bien sa vie, n'a-t-elle pas de beaux enfants en santé ?

Il s'en faudrait de peu pour qu'elle prenne nos avertissements et notre compassion pour de la jalousie. Pour la convaincre, il faudra savoir gratter beaucoup plus en profondeur, tenter de faire tomber le masque qu'elle ne sait même pas porter. Posons-lui donc quelques questions ?

Est-il normal de se sentir aussi vide et déprimé lorsqu'on n'a pas de besogne à abattre ? Est-il normal de ne pas savoir se détendre, de ne jamais le faire ? Est-il normal de traîner son cellulaire en vacances ? De n'avoir pris seulement que deux semaines sur les cinq auxquelles on avait pourtant droit ? Est-il normal de prendre tout tellement au sérieux qu'il n'y ait jamais de place pour s'amuser, pour se détendre ?

Probablement qu'elle finira par reconnaître que, oui, elle exagère un petit peu. Peut-être même s'avancera-t-elle sur des promesses glissantes du genre: « Je vais "essayer de ralentir." » Mais comme le font bien des alcooliques et des toxicomanes, elle n'y parviendra pas avant d'avoir pris la ferme décision de changer pour de bon. Ce moment, malheureusement, arrive bien souvent très tard sur l'échelle de la progression de la compulsivité, alors que les problèmes ont déjà commencé à faire de sérieux ravages. C'est qu'il n'est pas facile de se défaire de la dépendance qu'on a développée face au travail, comme il n'est pas aisé non plus de se défaire de la dépendance à l'alcool ni même de celle à la simple, mais aussi dévastatrice nicotine.

VICTIMES OU SAUVEURS?

Les superfemmes sont souvent des victimes déguisées en sauveurs. À les voir aller, on a l'impression qu'elles ont la force et le pouvoir de sauver la planète entière et que c'est ce qu'elles souhaitent faire. L'énergie qu'elles dégagent nous laisse croire qu'elles sont en pleine possession de leurs moyens et qu'il n'y a rien de nébuleux ou de souffrant en elles. Pourtant, cette erre d'aller n'est que de la poudre aux yeux, pour elles-mêmes autant que pour les autres. Ces femmes sont en fait vulnérables à souhait. Si elles semblent très responsables et le sont de fait, elles sont aussi au fond d'elles-mêmes des enfants qui craignent d'avoir mal ou qui traînent carrément des souffrances encore vives. Elles sont aussi obnubilées par la peur du rejet. Voilà pourquoi elles cherchent tant à plaire et, surtout, à ne pas déplaire.

De fait, les superfemmes s'occupent des autres pour ne pas avoir à s'occuper d'elles-mêmes. Elles se fuient, telle est la vérité que cache l'abeille laborieuse. Elles se fuient entre autres parce qu'elles ne s'aiment pas. Ainsi, lorsqu'on fait appel à leur aide, on leur confirme qu'on a besoin d'elles et elles se sentent alors nécessaires, indispensables, aimées, ce qui répond, par ricochet, à l'un de leurs plus pressants besoins. Oui, elles ont désespérément besoin d'être aimées et croient à tort qu'elles le seront en faisant alors qu'elles pourraient simplement être. C'est là que le bât blesse. Ce ne sont pas les autres qui demandent, au début du moins. Ce sont elles qui offrent.

Et à force de toujours donner, on finit par les tenir pour acquises et, là, elles sont prises dans un engrenage terrible duquel elles ne souffrent tout de même pas avant longtemps, avant de s'être vidées, avant de tomber, sans avertissement ou, en tout cas, sans en avoir vu les signes. Les superfemmes ne voient pas les avertissements pour la simple et bonne raison qu'elles ne s'écoutent pas, trop occupées qu'elles sont à l'extérieur d'elles-mêmes. Malades ou non, elles ne s'arrêtent pas. Tours de reins à répétition, grippe sur grippe durant tout l'hiver, fatigue constante, rien n'y fait : elles ne voient pas que leur corps est en train de leur demander de ralentir, de changer quelque chose à leur rythme de vie.

Le sauveur, même s'il s'agit d'une victime déguisée, joue souvent ce rôle depuis fort longtemps. Très tôt, dans la famille, les enfants apprennent à tenir un rôle qu'ils ne quitteront plus, bien souvent, avant la fin de leurs jours, à moins de décider de s'engager activement dans un processus de croissance personnelle. Le rôle tenu par chacun dépend bien évidemment de la dynamique familiale, de sa structure, mais c'est surtout le rang dans la famille qui établit presque à lui seul le rôle de chacun ainsi que la différence d'âge entre les enfants. Ainsi, c'est habituellement l'aîné qui tient le rôle de sauveur. Vous pourrez le constater très aisément autour de vous, dans votre famille propre et dans celles de vos amis. La plupart du temps, c'est l'aîné qui tient la famille à bout de bras, qui gère les anniversaires de chacun, qui prend les devants pour régler tout ce qui entoure le décès d'un proche, qui dépanne le jeune frère en difficulté ou que la mère vieillissante appelle pour de judicieux conseils de tout acabit, etc. C'est le protecteur, le héros de la famille. Le rôle peut sembler intéressant à tenir pour les autres qui jouent plutôt aux rebelles ou aux bouffons, mais il n'est pas de tout repos. Les héros ne savent pas dire non et se retrouvent, déjà de ce fait, victimes de leur altruisme. Ils se mettent régulièrement entre parenthèses au profit des autres.

CHAPITRE 4

COMMENT FONCTIONNE LA SUPERFEMME?

N'ayant pas le contrôle sur leurs émotions les superfemmes cherchent des domaines où il leur est possible de contrôler. Le travail en est un, la vie familiale un autre, et il y en a d'autres encore. En fait, chaque domaine de leur vie en est un.

Lorsqu'elles viennent en aide aux autres, même si elles croient sincèrement le faire pour les meilleures raisons du monde, ce qu'elles cherchent à faire est d'avoir le contrôle. En ayant le contrôle, bien entendu, on a le pouvoir. Et le pouvoir est une drogue puissante qui aide l'estime de soi et la confiance à se développer. Le pouvoir donne de l'importance, de la prestance. Lorsque à l'intérieur de nous toutes ces pièces sont manquantes, on cherche à les créer artificiellement à l'extérieur. Ce besoin irrépressible de contrôler est un des mécanismes de base sur lequel repose le syndrome de la superfemme. Et comme vous vous en doutez, il a des tentacules générateurs de répercussions à d'autres niveaux.

En outre, derrière le besoin de contrôler se pointe toujours, pas très loin, la farouche manie d'éviter soigneusement l'imprévu. Pour qu'une superfemme se sente bien, tout doit être réglé au quart de tour. La moindre défaillance du système organisé qu'elle prend soin de construire et remonter jour après jour la déstabilise et l'irrite assez. C'est une des raisons pour laquelle elle n'aime pas déléguer et qu'elle préfère de loin se charger de tout. Elle n'oubliera rien ; elle ne négligera rien. La superfemme n'est pas un exemple de souplesse, ni face à soi ni face aux autres. Elle n'est d'ailleurs pas nécessairement facile à vivre, notamment en raison de son comportement qui est parfois contradictoire. Elle veut tout faire seule et se plaint souvent ensuite du manque d'initiative ou d'implication des autres. Branche-toi, sommes-nous tentés de lui dire souvent. Mais elle ne peut pas, elle ne sait pas ; parce que ses contradictions ne sont pas simplement superficielles, mais bien ancrées, profondément, en elle.

ABSENCE DE PLAISIR ET DE SPONTANÉITÉ

Le besoin de contrôler toute situation fait de la vie des super-femmes un lieu où le plaisir n'occupe pas beaucoup de place. Aussi, elles se coupent complètement des joies de la spontanéité. Ne leur proposez pas de partir au pied levé faire un petit voyage imprévu, vous risquez fort de ne jamais réussir à la convaincre. Tant de choses à faire, à préparer, à penser avant de partir : impossible ! Tout à coup qu'elle oublierait quelque chose ! Tout à coup que ce ne serait pas parfait, qu'elle ne serait pas parfaite ! Elle préfère nettement ne pas courir ce risque et passer son tour. Et voilà comment on coupe dans le plaisir, comment on se prive de grands pans de vie.

Et voilà pourquoi les superfemmes savent déjà le lundi ce qu'elles feront la fin de semaine prochaine avec les enfants, que les sorties sont prévues, organisées : on ne restera pas à rien faire et, surtout, on ne se retrouvera pas le bec dans l'eau. Les billets de cinéma sont achetés à l'avance, le camping est réservé, pas de pépins à l'horizon.

Mais du stress, par exemple, beaucoup de stress.

Chercher à contrôler tout et tout le monde demande une énergie extrêmement drainante qui aboutit souvent, malgré tout, à des frustrations multiples. Parce que personne ne peut arriver à tout contrôler. Il s'agit là d'un rêve tout à fait farfelu qu'il faut apprendre à délaisser peu à peu au profit d'un retour sur terre. Nous sommes tous impuissants devant un grand nombre de choses. C'est surtout en acceptant cette réalité que l'on risque davantage de retrouver un certain contrôle sur soi, d'abord. Et notre vrai moi se trouve assurément, en bonne partie, du côté de la spontanéité. Mais les superfemmes fuient leur vrai moi ; d'ailleurs, vous l'aurez compris, en bout de ligne, elles ne sont pas elles-mêmes.

Les superfemmes ne sont pas non plus tentées de frayer du côté de la spontanéité parce que celle-ci rime avec une sorte de légèreté et d'insouciance qui ne correspond pas à leur être si responsable, voire rigide. De plus, l'inconnu qui se cache derrière la spontanéité leur fait peur. Être programmée est nettement plus réconfortant. Alors, elles programment : elles-mêmes, vous, tous, croyant ainsi s'accomplir, mais passant en fin de compte à côté de leur évolution personnelle. Ce qui, peut-être, par-dessus tout, est encore plus dangereux ou troublant pour les superfemmes, c'est ce désir de contrôler les autres et de s'en sentir responsables.

Ainsi, une superfemme peut aisément se sentir responsable de l'alcoolisme de sa mère et des comportements incorrects qu'elle peut parfois avoir en famille ou en société. La superfemme tâchera de réparer les pots cassés par sa mère, de minimiser les dégâts, voire, peut-être même, de l'excuser. Ce n'est pas qu'elle accepte son comportement, loin de là ; peut-être même est-elle celle parmi tous les autres qui lui en veut le plus ; peut-être, sans doute, est-ce même elle qui souffre le plus de la maladie de sa mère et de la honte qu'elle fait subir à ses proches. Elle tente seulement d'avoir un certain contrôle sur sa mère ; voilà ce qu'elle cherche d'abord et avant tout et qu'elle ne trouvera probablement jamais. Voilà une autre source de souffrance assurée. Il lui faut comprendre que la vie de sa mère ne lui appartient pas, que ses comportements ne lui appartiennent pas, pas plus que sa maladie d'ailleurs. Il lui faut comprendre qu'elle n'a pas à traîner la honte pour sa mère et que personne ne la juge, elle.

LA RECHERCHE DE LA PERFECTION

À la base du syndrome de la superfemme repose le fabuleux concept de la perfection, une chose qui, pourtant, n'existe pas.

Partant de ce fait, il est absolument certain que toutes les superfemmes sont appelées à tomber de haut un bon matin. Elles courent après l'impossible et s'assurent ainsi de rencontrer l'échec alors que ce qui les stimule pourtant plus que tout c'est le rendement et le succès. Inutile de dire que l'écart qui sépare le rêve de la réalité se traduit tôt ou tard par une chute vertigineuse.

Le perfectionnisme de la superfemme passe d'abord et avant tout par la manière, très dure, dont elle se juge elle-même. C'est simple, la superfemme n'a pas droit à l'erreur, qu'importe le domaine. Mais ce n'est pas tout. Ce qu'elle exige d'elle, elle l'exige aussi des autres, qu'il s'agisse de son conjoint, de ses enfants, de ses employés ou de ses confrères et consœurs de travail. Dur, dur de vivre avec une super-femme : la barre est haute. Et si on ne se montre pas à la hauteur, elle saura quoi faire, n'en doutez pas, pour s'éviter, elle, au moins, de faillir. Elle ne déléguera plus et verra plutôt à faire elle-même les choses. Si elle n'est pas satisfaite de la manière dont vous avez accompli la tâche qu'elle vous a demandé de faire, ou bien elle vous la fera reprendre ou bien elle repassera derrière vous. Elle accroche sur des peccadilles, des détails qu'elle seule voit et qui ne dérangent qu'elle. Ces détails paraissent à ses yeux comme des montagnes, son regard les grossit comme des loupes jusqu'à ce qu'ils deviennent insupportables. Quel que soit le domaine où elle s'active, son perfectionnisme la suit constamment au pas, à la maison comme au boulot.

La perfectionniste n'accepte pas de se tromper. Si elle se trompe dans un domaine où elle excelle, où elle est reconnue pour son expérience, elle s'en voudra terriblement, c'est certain, et se remettra rapidement en question d'un bout à l'autre. Mais même dans un nouveau domaine, alors qu'elle a à vivre une toute nouvelle expérience, un nouvel apprentissage, elle voudrait tout de suite être parfaite et ne se donne, pas plus là qu'ailleurs, le droit à l'erreur ;

elle ne se donne aucune chance. Ses instruments de mesure de la réussite sont inhumains, rien de moins.

Évidemment, vivre sous un tel joug ne peut faire autrement que d'entraîner des effets négatifs importants et un lot de peine non moins négligeable. Les perfectionnistes courent après le risque de vivre constamment avec un sentiment d'échec, ce qui, déjà en soi, est assez difficile et désagréable à porter. Ils ont du mal à s'ouvrir à de nouvelles choses de peur de ne pas réussir, de ne pas être à la hauteur et se ferment ainsi à quantité de plaisirs et de découvertes. Leurs attentes irréalistes envers les autres rendent souvent leurs relations difficiles et ébranlent même, à la base, leur capacité à créer des liens, que vient aussi compliquer leur peur du rejet.

Que croyez-vous que recherche une perfectionniste pour filer le parfait amour ?

Rien de moins qu'un être parfait, vous pensez bien !

Évidemment, avec des exigences si élevées, elles ont du mal à trouver. Lorsqu'elles croient enfin avoir mis le grappin dessus, elles se rendent vite à l'évidence qu'elles se sont trompées et se lassent vite. S'il y a des conflits, c'est que la relation n'est pas parfaite et qu'il est donc inutile de la poursuivre. Même chose si ce n'est pas le bonheur total au point de vue sexuel. Sur le plan de leurs amitiés, les superfemmes ont tendance à être tout aussi intransigeantes. Leurs amis doivent, tout comme elles, mettre la barre haute dans tous les domaines. Elles peuvent être bien tentées par des préjugés de toutes sortes et n'accepter dans leur cercle que des personnes qui affichent le même style de vie qu'elles.

Les perfectionnistes sont également, et j'ajouterai évidemment, des candidates de premier choix à l'anxiété. Ce sont aussi des personnes susceptibles de connaître de répétitives et grandes colères dont toutefois elles se sentent toujours très coupables. Évidemment, elles fraient aussi plus souvent qu'à leur tour du côté de l'amertume.

UNE DYNAMIQUE RISQUÉE

Non, le perfectionnisme n'est pas une mince affaire !

S'il n'est pas en soi une maladie, il n'y a cependant aucun doute sur le fait qu'il puisse en être l'origine de plusieurs. Par exemple, les jeunes femmes souffrant d'anorexie et/ou de boulimie sont très souvent des perfectionnistes. D'ailleurs, au centre de leur maladie se trouve carrément la recherche d'un corps parfait. Le perfectionnisme peut aussi mener tout droit à l'alcoolisme ou à la toxicomanie et, vous vous en doutez bien, à la dépression. Rechercher la perfection en tout et en tout temps et constater qu'on n'arrive jamais à l'atteindre peut effectivement finir par donner l'impression que la vie n'a pas de sens. Quand le moteur qui nous poussait droit devant se montre faillible, quand on constate qu'il n'était en fait qu'illusion, on ne sait plus par quel moyen se mouvoir ni même pourquoi le faire.

Car le perfectionnisme est en soi un engin qui possède une dynamique capable de faire naître énormément de culpabilité et de honte. Il nous oblige à constater sans arrêt notre insuffisance et finit par ramener notre estime de soi à de bien piètres proportions. À ce rythme, tout se met en place, avec le temps, pour que la détresse pure et simple prenne le pas sur tout, pour que nous nous retrouvions complètement déboussolés sur le plan émotionnel. À la base, physiquement, le stress immense que s'imposent les perfectionnistes laisse des traces indélébiles physiquement parlant. L'épuisement qui les gagne, même si c'est à leur insu, finit par dérégler les horloges internes, à fragiliser les différents systèmes internes qui travaillent fort pour nous garder en vie et en santé. À force d'être toujours sur la corde raide, le système nerveux en vient à ne plus savoir très bien suivre et il commence à donner des réponses distordues, en réduisant, par exemple, la résistance du système immunitaire.

Alors, pourquoi ne pas quitter ce monde au plus vite pour chercher à carburer à autre chose ?

Parce que c'est, pour la plupart d'entre nous, le modèle de fonctionnement qu'on nous a désigné longtemps comme étant celui à suivre. Nous partons tous de loin, de très loin. Mais certains, comme les superfemmes, davantage encore que d'autres, notamment parce que c'est sur tous les fronts à la fois qu'elles visent la perfection : le gâteau doit être parfait, les tresses de sa fille, autant que la lettre, le service au tennis, l'aménagement paysager tout autour de la maison, la tuile de la salle de bain, les papiers dans la filière ; tout. On dirait toujours qu'elles sentent quelqu'un au-dessus de leur tête qui est là, constamment, à marquer leurs points, à les évaluer, à les jauger. Au fond, elles sont elles-mêmes leur seul et unique juge et le plus terrible : celui qui ne pardonne pas.

Les superfemmes n'ont pas appris que l'échec peut être, et est souvent, constructif. Les erreurs servent ; on apprend énormément d'elles. Elles sont des tremplins vers le dépassement, un moyen d'apprentissage tout à fait normal. Mais elles n'ont pas le droit d'apprendre : elles doivent tout savoir et tout de suite.

Lorsqu'elles sont mères, les superfemmes perfectionnistes ont évidemment tendance à transposer leur idéal sur leurs enfants. Elles acceptent très mal leurs échecs scolaires aussi bien que de les voir se traîner les pieds lorsqu'ils jouent au hockey ou au soccer avec des gamins de leur âge. Elles sont très critiques à leur égard. Ce qui vaut pour elles vaut aussi pour eux : « On ne fait pas les choses à moitié », « Ce qui doit être fait doit être bien fait ». Les superfemmes mettent beaucoup d'énergie à faire de leurs jeunes les meilleurs et leur transmettent ainsi le gène de la compétition, de la perfection, accompagné de l'inévitable peur de l'échec et de la honte. Jouer pour le plaisir ? Pas vraiment... Au pays de la perfection, on joue pour gagner, sinon, à quoi bon ? Et ainsi va la vie, ainsi tourne la roue, pareille à un cercle vicieux, de génération en génération.

CHERCHER L'APPROBATION

Quoique les superfemmes aiment chercher à avoir le contrôle sur tout, y compris sur les autres, elles sont, paradoxalement, carrément sous l'emprise des autres. Plaire aux autres, être approuvées par eux, être reconnues et admirées par eux, voilà un de leurs besoins essentiels de base. Lorsqu'elles ont l'approbation des autres, elles se sentent de bonnes personnes.

Au fond, elles croient ni plus ni moins que leur bonheur passe par les autres. Sans eux, sans leur regard, elles ne sont plus rien. Mais bien sûr, elles ne se contentent pas d'être admirées, reconnues ou quoi encore, une seule fois, par une seule personne. Elles sont constamment à la recherche de ces encouragements extérieurs pour pouvoir fonctionner à plein régime. Ainsi, aussitôt l'espèce d'état euphorisant obtenu par l'effet d'une claque dans le dos, elles repartent chercher encore et encore. Leur valeur ne devient réelle que par l'entremise des autres. Elles ne savent pas, seules, s'en convaincre. À leurs yeux, elles ont peu de valeur, c'est pourquoi les flatteries des autres sont si importantes pour elles. C'est pourquoi aussi toute forme de rejet les terrorise au plus haut point et les met sens dessus dessous lorsque, par malheur, elles ont à en vivre un. Si on les rejette, se disent-elles, c'est qu'effectivement, comme elles le croyaient bien, elles n'ont pas de valeur.

Le problème, on le constate, c'est qu'elles ne savent pas faire la différence entre leur valeur intrinsèque réelle et l'idée que les autres peuvent se faire d'elles. Comme elles ne savent pas non plus faire la différence entre ce qu'elles sont et ce qu'elles font. Ainsi, si elles font quelque chose de mal, ou, disons, de mal réussi, elles se diront tout de go que ce sont elles qui ne sont pas correctes. Croyant qu'elles sont jugées pour leur « faire », elles s'imaginent que plus elles en feront, plus elles seront appréciées. Par conséquent, plus elles se donnent de responsabilités, plus elles se sentent responsables des autres et mieux elles se sentent.

Si elles ont aussi tant peur de l'échec, c'est qu'elles croient que les autres les aimeront moins ainsi qu'en arborant une médaille d'or au cou. À la base de tout ça se cache évident une image de soi complètement déformée et une estime de soi qui traîne de la patte depuis fort longtemps. Pour se défaire du besoin d'approbation, cette image et cette estime devront être à tout prix recouvrées, et ce, en empruntant la voie intérieure et personnelle. Il faudra abandonner l'idée que cette image ne puisse qu'être le reflet du regard des autres. Il faudra qu'elles cessent de se servir de l'approbation des autres pour s'approuver elles-mêmes vis-à-vis d'elles-mêmes, de l'amour des autres pour s'aimer elles-mêmes. Il faudra qu'elles cessent de croire l'opinion d'autrui plus importante que la leur, sinon un jour elles se perdront carrément, n'existeront plus qu'à demi, ce qui est peut-être bien déjà le cas de plusieurs. Quand notre vie repose entre les mains de tout un chacun, on peut commencer à dire que notre vie nous échappe, qu'elle ne nous appartient plus réellement.

Étrange comportement, pourtant, pour des gens qui aiment le contrôle... Vous risquez fort de vous retrouver fort frustrées avant longtemps. D'autant plus que vous ne réussirez jamais à contenter tout le monde et votre père à la fois. Partout, en tout temps, il y aura toujours quelqu'un qui ne verra pas les choses de la même façon que vous, qui vous jugera, qui ne vous aimera pas. On ne peut pas non plus être aimé de tous. Vous, aimez-vous tout le monde ?

Alors, pourquoi demander aux autres ce que vous êtes vous-même, aussi parfaite soyez-vous, incapable de faire ?

LA QUÊTE DE L'ÉLOGE

Oui, les éloges sont bons à recevoir et tout le monde en retire du plaisir, mais il faut néanmoins veiller à ne pas en devenir dépendant. Si chacun de vos pas doit être reconnu par une personne ou une autre, posez-vous de sérieuses questions — et ne dites pas trop vite que ce n'est pas votre cas ! Prenez le temps de bien vous regarder agir, honnêtement, et vous pourriez bien être obligée d'admettre que vous étiez plus avancée que vous ne le pensiez sur la pente de la recherche d'approbation. Renverser la vapeur une fois le pli bien ancré n'est pas une mince tâche pour personne. Très jeunes nous avons tous appris à nous fier aux autres et à les imiter pour savoir ce qui était bien et ce qui l'était moins. On nous a, pour la plus grande majorité, appris à éviter les problèmes en ne débordant pas des moules sociaux et en adhérant à la manière de faire de la majorité. Voilà comment il y a déjà fort longtemps, alors que nous étions enfants, nous avons appris à dépendre des autres et à douter de notre jugement personnel. Nous nous en sommes remis longtemps à nos parents, puis à nos frères et sœurs aînés, puis à nos professeurs, puis à notre premier patron, puis à notre époux, puis la chaîne n'a jamais cessé de s'étendre, nous laissant de moins en moins de latitude et de moins en moins de confiance.

Et les superfemmes sont passées maîtres dans l'art de la recherche d'approbation, dans l'art de passer à côté d'elles, de leurs sentiments et, en fin de compte, de leur vie.

Pour se sortir du piège dans lequel elles sont enlisées, il leur faudra revoir tout leur mode de pensée en commençant par penser autrement. Elles devront apprendre à s'aimer en comprenant d'abord qu'elles en ont le droit, qu'il n'y a là rien de mal, bien au contraire. C'est seulement lorsqu'elles s'aimeront suffisamment qu'elles n'auront plus que faire de l'approbation des autres. C'est aussi lorsqu'elles s'aimeront suffisamment qu'elles accepteront que les autres vivent à leur façon; à ce moment seulement elles sauront les laisser aller sans chercher à les contrôler. Aussi, lorsqu'elles s'aimeront, elles ne se briseront plus devant la critique et l'échec et seront moins portées à vouloir faire leurs preuves en faisant, faisant et faisant encore, toujours plus et toujours mieux.

CHAPITRE 5

DU JAMAIS AU TOUJOURS

Une des grandes difficultés à laquelle les superfemmes doivent faire face est leur incapacité à dire non. C'est encore la peur du rejet qui les en empêche, entre autres choses, la peur de ne pas être aimées et la peur de n'être pas de bonnes personnes. Voilà encore une fois notre victime déguisée en sauveur, notre Jeannette toujours prête, notre mère Teresa en puissance.

Marie-Lyne est massothérapeute depuis une quinzaine d'années. Au début de sa carrière, pour l'aider à boucler les fins de mois, elle acceptait aussi des contrats de secrétariat qu'elle effectuait chez elle, le soir. Puis, un jour, sa clientèle a été suffisante pour justifier sa présence continue et quotidienne à la clinique de massothérapie. Elle s'est mise à travailler très tôt le matin pour finir très tard le soir. Elle a tenu ce rythme un bon moment, fière d'avoir réussi à faire sa place et à monter une clientèle visiblement satisfaite. Le bouche à oreille faisant son œuvre, on s'est encore pressé davantage au portillon. Quand on appelait pour un rendez-vous, Marie-Lyne ne pouvait pas refuser, et encore moins s'il s'agissait de patients souffrants qu'elle savait pouvoir soulager. Elle a donc étiré ses heures encore et encore, puis s'est mise à travailler le samedi.

Un bon matin, elle a craqué.

C'en était trop. Elle n'avait pas su dire non, mettre ses limites, penser à elle.

Tout le monde était passé avant elle durant trop longtemps et aujourd'hui c'est elle qui devait se ramasser seule à la petite cuillère. Mais le pire, le pire était à venir. La voilà en congé de maladie pour épuisement professionnel (communément appelé burnout), et elle explique à son amie Suzanne qu'elle n'a pas vue depuis longtemps dans quelle situation elle se trouve. Elle lui explique qu'elle est en arrêt de travail depuis deux mois et qu'elle compte pouvoir reprendre ses activités dans quelques semaines. En continuant de bavarder, Suzanne, qui est aussi une de ses clientes, lui dit qu'elle a hâte de régler ses problèmes financiers pour pouvoir à nouveau se permettre le luxe d'un massage de temps en temps. Marie-Lyne de lui répondre tout de go que si elles se voyaient la semaine prochaine, comme convenu, elle lui en ferait un gratuitement. Suzanne n'en revenait pas. Marie-Lyne venait tout juste de lui dire qu'elle était consciente qu'elle n'avait pas su dire « non » et qu'il lui fallait apprendre à le faire ! Oui, il y a souvent une grande marge entre la théorie et la réalité... Et visiblement, Marie-Lyne avait encore passablement de travail personnel à faire avant de retourner au boulot. Souhaitons qu'elle ait pris le temps de le faire.

Sylvie vient de déménager. Mère de deux enfants, elle vient de se séparer et d'emménager dans une autre ville. Elle doit s'adapter à la fois à sa nouvelle vie, à la garde partagée des enfants, à un nouveau travail, à vivre seule, en plus de voir à tout ce que représente un déménagement. L'adaptation est difficile, elle est encore toute remuée par tous les deuils qu'elle est en train de vivre, ne sait pas très bien d'où elle arrive et encore moins où elle s'en va. Elle traîne une fatigue qui la fragilise grandement, accompagnée de toutes sortes de petits maux qui commencent à lui faire réaliser qu'elle a sans doute besoin de repos, d'un répit. Tous les jours, elle se promet de n'abattre que le boulot qu'elle a à à faire et de ne rien faire d'autre ensuite que de se reposer.

Mais tous les jours quelqu'un arrive avec une proposition ou une demande auxquelles elle est incapable de répondre par la négative. Et si elle répond par l'affirmative, ce n'est pas parce que cela lui fait plaisir : nullement. Elle le fait simplement parce qu'elle ne sait pas faire autrement, parce qu'elle a peur de blesser.

Elle sait pourtant que ce faisant, elle se blesse elle-même, mais ça...

Ce ne sont là que deux exemples parmi des milliers que vous pouvez facilement trouver vous-même autour de vous et, sans aucun doute, au cœur de vous-même. Mais ces deux exemples suffisent amplement à démontrer comment les superfemmes peuvent vivre complètement à l'extérieur d'elles-mêmes, complètement dépossédées de leur vie, à mille lieues de leurs besoins. Même lorsque d'autres qu'elles tentent de combler certains de leurs besoins, de leur donner un coup de main, de les aider, elles cherchent encore à dire non : « Non, merci », « Non, ça va aller », « Non, ne te dérange pas pour moi ». Parfaites et indépendantes, elles savent très bien se débrouiller seules.

Oui, mesdames, nous n'en doutons même pas ; nous le savons aussi bien que vous-mêmes ; vous n'avez donc rien à prouver.

Nous voulons simplement vous gâter parce que nous vous aimons ; nous voulons simplement vous faire du bien, par plaisir. Laissez-nous faire, laissez-nous nous immiscer un tant soit peu dans votre royaume. Les bonnes relations, vraies et enrichissantes, celles qui évoluent, exigent toujours un certain retour du balancier. Oui, vous aimez donner, mais nous aussi.

LE « IL FAUT » DANGEREUX

Il faut que je me lève à 6 h 00. Il faut que je fasse les lunchs. Il faut que je sois au bureau à 7 h 30. Il faut que je sois en forme pour cette réunion importante. Il faut que je passe chercher le gâteau d'anniversaire de Simon. Il faut que j'appelle ma mère. Il faut que je fasse le ménage. Il faut que j'invite les Dubois à souper. Il faut que je me mette en forme. Il faut que je sois plus patiente avec les enfants. Il faut tout le temps quelque chose, c'est ahurissant. Quelle pression ! Que de devoirs ! Quel contrat ! Mais c'est bien ainsi que se parlent les super-femmes, du matin au soir et du soir au matin, à longueur d'année.

Il faut !

Un point c'est tout.

Pas de place à la faille, au congé, au « non » : en avant la musique, et que ça saute ! Et il faut qu'elles réalisent toutes ces exigences sans quoi elles devront faire face à la culpabilité et à la honte de n'avoir pas été à la hauteur. Les « il faut » sont alors rapidement transformés en « j'aurais dû » de tout acabit et tout aussi culpabilisants les uns que les autres. J'aurais dû y penser ; j'aurais dû m'y prendre plus tôt, j'aurais dû terminer ce livre vendredi, j'aurais dû faire attention, j'aurais dû me taire, etc. Bref, j'aurais dû être meilleure, j'aurais dû faire mieux.

Un pareil langage entraîne inévitablement et continuellement celles qui l'utilisent du côté du sentiment d'échec. Il souligne au trait rouge leurs imperfections et tape continuellement sur le même clou de manière négative. Tous ceux qui ont une piètre estime d'eux-mêmes sont des experts dans l'art d'utiliser toute forme de langage et même de pensée négative. Les « il faut », particulièrement, donnent l'impression d'être pris au piège, de n'avoir pas le choix et finissent ainsi par donner l'impression à ceux qui les utilisent d'être des victimes. En fait, oui, ils sont véritablement victimes d'eux-mêmes, de leur propre langage qui les confine dans un rôle malheureux.

Par ailleurs, en utilisant les « j'aurais donc dû » en tout genre, on se détourne du présent et de l'avenir pour vivre dans le passé. C'est là, dans le passé, que se situe la culpabilité ; jamais aujourd'hui, jamais demain. Mais nous n'avons aucun pouvoir sur le passé ; il n'y a rien que nous puissions faire pour le changer ; nous ne pouvons agir sur lui d'aucune manière : ce qui est fait est fait.

Rien ne sert de s'empêtrer sans cesse dans ces eaux troubles.

Comme le font la peur de l'inconnu et de la spontanéité, tous les « il faut » vous dissocient de votre vrai moi. Ils font de vous les pions d'un jeu dont les règles rigides sont presque impossibles à suivre. Demandez-vous un peu pourquoi il faut tant que ça ; et puis, faut-il vraiment. Ne pouvez-vous pas vous libérer de quelques-uns de ce « il faut » sans que la maison s'écroule ? Ne pourriez-vous pas seulement tenter de dire les choses autrement, de trouver une formule moins rigide ? Par exemple, ne trouvez-vous pas que la vie a l'air drôlement plus souple lorsqu'on modifie tout simplement la formulation ? Le « J'aimerais passer chercher le gâteau à 17 h 00 » au lieu de « Il faut que j'aille chercher le gâteau à 17 h 00 » ne semble-t-il pas moins contraignant ? Cela vous semble peut-être bien anodin comme nuance, mais il y a cependant bel et bien un monde qui sépare les deux formulations. Un monde qui peut faire toute une différence dans la manière dont vous vous sentirez. Essayez un peu ; vous verrez bien.

Ces exercices de langage peuvent d'ailleurs vous apporter de nombreux bénéfices sur de nombreux autres plans.

Par exemple, vous qui avez une faible estime de vous-même êtes sûrement une fervente utilisatrice de toutes sortes de « je ne suis pas ». « Je ne suis pas assez bonne », « Je ne suis pas assez belle », « Je ne suis pas assez vite », etc.

Pourquoi ne pas essayer de changer les « je ne suis pas » par des « je suis » ?

Mais surtout, pour l'instant, ce qu'il faut surtout, c'est que vous soyez aux aguets, que vous preniez conscience de vos comportements autodestructeurs, de votre fatigue qui s'accumule, du haut taux de stress auquel vous vous soumettez. Il faut que vous commenciez à réagir, avant que le presto ne saute. Il est encore temps. N'attendez pas de devoir dire « J'aurais dû écouter les signaux d'alarme », « J'aurais dû ralentir, me reposer pendant qu'il était encore temps ».

Agissez.

Ça, c'est sûr qu'il le faut.

JE SUIS RESPONSABLE

Les superfemmes sont des êtres hautement responsables. Ce mot a une importance capitale dans leur vie ; il leur colle à la peau en toute circonstance. Elles croient être responsables du bonheur ou du malheur des autres, de tout et de rien. Voilà pourquoi elles ont en horreur les situations, nombreuses, sur lesquelles elles n'ont aucun pouvoir. Ne pouvant rien, leur désir d'agir de façon responsable se transforme rapidement en culpabilité et les voilà toutes remuées. Pourtant, elles cherchent encore et toujours à se responsabiliser davantage. Elles ont d'ailleurs le don d'attirer les personnes à problèmes qui auront assurément besoin d'elles.

Évidemment, encore une fois, cela répond aussi à certains de leurs propres besoins, même si elles n'en sont pas conscientes. Essayer de leur faire admettre cette réalité est une tâche qui peut s'avérer ardue. Il arrive même fréquemment qu'après des allusions faites sur leurs comportements compulsifs, les superfemmes redoublent d'ardeur, comme pour encore mieux s'y réfugier.

Si elles portent haut le fleuron de la responsabilité, c'est que les superfemmes sont des femmes de devoir : « Je dois faire ceci », « Je lui dois bien cela », « Je ne dois pas me comporter ainsi ».

La vie des superfemmes est une vie où l'on marche droit sur un parcours exigeant.

Pas question de prendre l'accôtement ou la voie de service. Le monde repose sur nous, sur nos épaules, et il faut assumer. Alors, elles acceptent, elles disent oui, elles s'offrent, se donnent, s'oublient : les autres ont tellement besoin d'elles !

LA CULPABILITÉ, UN MOT À OUBLIER

Si la culpabilité est le mal du siècle, elle ne fait pas exception auprès des superfemmes qu'elle égorge à souhait. Elles ont toutes les raisons du monde de se sentir coupables et ne manquent pas une occasion de prêter le flanc.

Bien entendu, elles ne sont pas masochistes au point de le faire consciemment ; personne n'aime se sentir coupable. Mais tout le monde en est victime, à plus petite ou plus grande échelle et bien sûr tout le monde en souffre. Oui, la culpabilité est douloureuse et épuisante. À forte dose, elle mine beaucoup d'énergie ; à un point tel quelle peut même mener tour droit à la dépression. Elle ne nous dirige pas du tout du côté du bonheur, mais tend plutôt à nous faire glisser sur les pentes descendantes du malheur. Il s'agit d'une habile manipulatrice dont il faut apprendre à se défaire. Encore une fois, les tracas que vous soumet la culpabilité ne servent qu'à vous voler votre présent et le contrôle que vous pourriez avoir sur ce dernier. Se culpabiliser est une perte de temps sans nom qui ne sert qu'à une chose : vous faire vous sentir mal dans votre peau. Et, la plupart du temps, cette culpabilité troublante vous provient d'autrui. C'est par rapport aux autres que nous nous sentons coupables. Sans les autres, la culpabilité fond bien souvent comme neige au soleil.

Ainsi, voilà pourquoi les superfemmes sont si vulnérables à cette chère prédatrice ; parce qu'elles sont aussi, d'abord, friandes de l'approbation des autres. Si elles arrivaient à faire simplement ce qu'elles ont à faire, ce qu'elles croient devoir faire dans leur for intérieur, sans se soucier du regard ou de l'assentiment des autres, sans se comparer, aussi, elles se libéreraient déjà d'un lourd fardeau.

Mais voilà : nous avons appris très jeune à nous comparer pour connaître notre valeur propre. La comparaison se situe à la base de la recherche de l'excellence et de la performance.

La culpabilité fait figure d'autorité dans nos vies.

Nous lui avons dédié un espèce de rôle de parent en lui laissant le droit de nous dicter ce qui est bien et ce qui est mal. Malheureusement, lorsqu'elle se pointe, qu'elle se fait ressentir, il est trop tard : nous avons déjà agi. Non seulement cela, mais, évidemment, on ne peut pas revenir en arrière pour corriger le tir. La culpabilité ainsi, ne sert à rien ; elle est tout à fait inutile. Il est bien sûr possible d'apprendre de nos erreurs pour éviter de les reproduire dans le futur ; et il est souhaitable que tout le monde cherche à agir de la sorte. Mais ce n'est pas la culpabilité qui nous aide à faire ces pas vers l'avant.

Sans compter que la notion de culpabilité est fort peu compatible avec la peu judéo-chrétienne notion de plaisir. Le plaisir est encore, de manière générale, quelque chose qui n'est pas toujours bien vu dans nos sociétés modernes. Le plaisir ne doit pas prendre trop de place, et, surtout, il doit être une récompense à l'effort ; si ces règles ne sont pas suivies à la lettre, on se sent mal et la culpabilité nous rattrape au grand galop. Les superfemmes sont bien endoctrinées à ce chapitre. Le plaisir est une denrée rare dans leur vie ; elles n'ont pas besoin de lui pour les mettre dans les bras de la culpabilité.

Paradoxalement, la culpabilité peut aussi pousser à faire plaisir aux autres. C'est elle qui, par exemple, nous indique qu'il serait temps de visiter notre grand-mère qui se meurt. C'est elle qui nous recommande d'appeler notre mère le dimanche soir. La culpabilité vous mène par le bout du nez ; elle vous dirige où bon lui semble. Il est grand temps que vous vous demandiez de quoi vous êtes tant coupable ?

D'avoir pris du temps pour vous ?

D'avoir pris soin de vous ?

D'avoir négligé, par conséquent, quelques autres personnes de votre entourage ?

D'avoir été moins efficace que d'habitude ?

D'être arrivée en retard ?

De n'être pas parfaite ?

Oui, voilà où le bât blesse : vous n'êtes pas parfaite ! Vous êtes humaine et c'est tant mieux. Vous avez droit à l'erreur, au relâchement, au je-m'en-foutisme occasionnel. Vous avez le droit de battre en retraite. Vous avez aussi le droit de dire : « Je n'embarque plus là-dedans », dans cette partie d'où vous sortez toujours, en bout de ligne, perdante. Vous pouvez choisir de devenir le maître de vos sentiments et décider que plus personne, pas même vous-même, ni votre patron, ni vos enfants, ni personne ne vous fera plus vivre ce sentiment désagréable qu'est la culpabilité. Bien sûr, vous ne réussirez probablement pas à vous en départir à 100 %. Vous aurez certainement des rechutes à l'occasion, mais la culpabilité n'aura plus l'emprise, la trop grande emprise, qu'elle a sur vous aujourd'hui.

Vous deviendrez un être plus libre, tellement plus libre, et avec un potentiel de bonheur tellement plus élevé. Constatez comment la culpabilité vous ronge, jusqu'à quel point elle vous extirpe une bonne partie de vous-même. Constatez combien la culpabilité ne réussit pas à réduire la douleur que vous fait vivre le malheur des autres. Constatez combien elle ne sait pas vous rendre plus efficace, mais plutôt toujours plus mal dans votre peau. La culpabilité est une prison dont il faut sortir. Vous y êtes enfermée depuis l'enfance, comme la majorité des gens, parce qu'il s'agit d'une arme dont tout le monde sait se servir : les parents comme les enfants. Il faut apprendre à écouter votre vraie voix intérieure et vivre du côté de la vérité en vous rappelant que la culpabilité est en fait un mensonge : il est faux de penser que les remords et la culpabilité rachèteront vos fautes, vos failles ou vos manques.

CHAPITRE 6

LES EFFETS DÉVASTATEURS
DU SYNDROME

Une des premières manières de se rendre compte que l'on est atteint du syndrome de la superfemme est de s'apercevoir que l'on a continuellement l'impression, bien réelle en fait, de manquer de temps, d'être toujours à la course. Les superfemmes n'ont jamais le temps de souffler, elles sont comme des queues de veau ! Elles entreprennent beaucoup, sont exigeantes, ne se contentent pas de choses faites à moitié, sont altruistes, responsables, etc. Tout cela les oblige à vivre à cent mille à l'heure et à subir un stress constant.

Certes, le stress est un mal nécessaire à notre survie.

Sans stimuli aucun, ce n'est ni plus ni moins que la mort qui nous attend ; mais à l'inverse, trop de stress, trop de stimuli, peuvent mener aussi aux mêmes extrêmes. Entre les deux, il y a évidemment (et heureusement !), comme dans tous les domaines de la vie d'ailleurs, possibilité de trouver un équilibre convenable, un équilibre santé. Oui, l'équilibre n'est pas tout à fait la tasse de thé des superfemmes qui vivent à plein régime et n'aiment pas la modération. Pour elles, le mot équilibre est synonyme de tranquillité, voire d'ennui ! Mais si elles préfèrent de loin pousser la machine à pleine capacité, elles oublient cependant de penser que toutes les machines ont leurs limites. Elles oublient de penser que si on ne respecte pas ces limites, on s'expose à la panne, à la cassure, voire à l'explosion. Oui, il en va des hommes comme des machines : notre corps, tout comme notre esprit, a besoin de carburant pour fonctionner, surtout si on lui en demande beaucoup et sans arrêt. Il a besoin d'une saine alimentation, de saines habitudes de sommeil, d'exercice. Il a besoin de récupérer, et encore davantage lorsqu'il est soumis à de grands stress. Les superfemmes s'imposent de grands stress. La recherche de la perfection est immensément stressante, les nombreuses responsabilités qu'elles s'imposent aussi, la recherche d'approbation des autres, la peur de l'échec, les exigences élevées, etc. Puis, elles en rajoutent encore : elles veulent faire plus, toujours plus, et mieux, toujours mieux. Elles s'imposent des délais déraisonnables pour accomplir des tâches; des délais stressants. Pour ajouter au problème, ne rien faire les stresse. À ce rythme, les super-femmes s'exposent bien entendu à une surcharge de stress qui finira bien par laisser des traces importantes quelque part, que ce soit sur le plan physique ou psychologique.

COMPRENDRE ET AGIR

Tôt ou tard, l'équilibre de toutes les sphères de leur vie se retrouvera fort précaire. Ainsi, plus tôt que tard, les superfemmes ont tout intérêt soit à réduire le stress dans leur vie, soit à apprendre à mieux le gérer. Si, au contraire, elles laissent le stress s'emparer d'elles sans avoir sur lui aucune espèce de pouvoir de retenue, elles risquent de voir la maladie apparaître, sous forme physique, psychologique ou les deux à la fois. Le corps et l'esprit sont étroitement liés et ils s'influencent l'un l'autre dans une large mesure. Notre médecine occidentale moderne a tendance à mettre cette réalité de côté alors qu'ailleurs dans le monde, depuis des millénaires, le lien entre le corps et l'esprit est évident et encore aujourd'hui constamment mis de l'avant pour faire la lumière sur quelque maladie que ce soit.

Bien sûr, on le sait, le stress est un animal difficile à dompter, autant sinon plus que l'est la culpabilité. Il est tellement partout qu'on a du mal à le saisir et à avoir quel que contrôle que ce soit sur lui. On ne réussira jamais à l'exclure totalement de nos vies, et cela n'est de toute façon nullement souhaitable, mais on peut cependant le réduire et minimiser son impact sur nous. Notre santé en dépend; de nombreuses études l'ont déjà démontré.

Heureusement, le stress ne se manifeste pas secrètement.

Aussi est-il possible de se rendre compte qu'on est sous son joug en étant le moindrement attentif à soi. Les effets qu'il a sur nous se comptent autant du côté physique que psychologique. Un corps envahi par le stress peut par exemple avoir tendance à développer des ulcères ou à être sujet aux maux de dos et aux maux de tête. Par ailleurs, quelqu'un de stressé peut aussi avoir de la difficulté à se détendre ou avoir tendance à sursauter facilement. Évidemment, le stress laisse aussi la fatigue et l'insomnie sur son sillage ; il peut donner des palpitations cardiaques et provoquer des étourdissements aussi bien que de la diarrhée ou de l'hypertension. Oui, son champ d'action est large ; très large. Il peut encore entraîner des problèmes de concentration, diminuer les capacités intellectuelles. Une perte de confiance en soi, un manque de motivation, le découragement, des problèmes de mémoire, une tendance à l'isolement, sont tous des symptômes pouvant avoir le stress comme origine. Voilà pourquoi il faut le prendre au sérieux et ne pas minimiser l'impact qu'il a sur vous : il est bien réel. Soyez donc attentif à ces symptômes — et si vous croyez en compter plusieurs, faites attention à vous et commencez peut-être à penser rencontrer votre médecin sous peu.

Mais cela nous conduit à la question : pourquoi tant de stress ?

Pourquoi ?

Eh bien, il y a mille raisons quotidiennes qui l'expliquent, elles vont de la pression au boulot, aux injustices dont on croit être victime ou dont on est véritablement victime ; il y a aussi toutes les ambiguïtés ; les jalousies et les reproches ; les changements ; les urgences ; les crises de tout acabit, familiales et professionnelles ; les pertes de temps dans le trafic et ailleurs ; les conflits divers ; l'absence de soutien dans différentes sphères de nos vies ; etc. Et tout ça, c'est sans compter les maladies de tout un chacun, les déménagements, les transferts, la peur de perdre son emploi, de manquer d'argent. Même les événements heureux comme les grossesses, les naissances et le mariage provoquent un stress non négligeable qui affecte également notre système.

PERDRE DE L'EFFICACITÉ

Lorsqu'on est aux prises avec le syndrome de la superfemme, l'efficacité occupe une grande place dans nos préoccupations. On se doit d'être efficace partout sur notre passage. Une grande part de notre énergie passe par là. Mais un jour, lorsque le stress nous a trop longtemps et trop avidement grugés, lorsqu'on s'en est trop demandé, pendant trop longtemps, cette efficacité qui nous était si chère au travail commence à nous faire étrangement défaut. C'est la concentration qui, d'abord, peut commencer à faire défaut. On s'aperçoit qu'on a du mal à maintenir longtemps notre attention sur la même tâche ou le même problème. Il nous semble que nous devenons moins habiles à trouver des solutions, que nous nous fatiguons plus vite, moralement aussi bien que physiquement. Les motivations ne sont plus les mêmes ; on ne part plus au combat avec le même entrain. C'est comme si nos forces étaient en train de nous abandonner.

Tiens donc ! Serait-ce possible ? Moi, la superfemme, manquer de forces, d'énergie, de courage ?

Oui, c'est possible.

Parce que, plus que quiconque, vous vous donnez tellement que vous risquez de voir vos forces vous abandonner un jour.

Tôt ou tard, l'impression de tout faire à moitié vous rattrape. Quand on se donne corps et âme au travail, on a l'impression de ne pas suffisamment être présente pour les enfants. Quand on choisit de se rapprocher des enfants, le boulot écope. La culpabilité s'installe, plus que jamais, fait son nid bien profondément en vous et prend beaucoup, beaucoup de place, trop de place. Si elle était parvenue, auparavant, peut-être, à l'occasion, à vous faire avancer, désormais elle ne sait plus que vous ronger, elle vous scie les jambes. Il se peut qu'à ce stade vos collègues commencent à voir un changement perceptible chez vous et vous demandent ce qui vous arrive. Il se peut que votre patron commence aussi à vous questionner. Vous changez. Vous ne le savez pas et eux non plus, mais vous êtes probablement en train de commencer à craquer. Il est grand temps de vous réveiller, avant que les effets du syndrome se manifestent encore plus durement.

DES RELATIONS DIFFICILES

Vos proches peuvent, bien avant vous, vous voir venir avec vos gros sabots.

Ils vous voient aller et essaient de vous ralentir, mais vous ne voulez rien entendre ! Le temps approche où ils commenceront à se plaindre de vos absences, de votre manque de disponibilité, voire de votre impatience qui ne vous quitte pas, et de votre intransigeance. Votre conjoint vous arrivera peut-être avec un ultimatum — c'est encore une fois un signe à ne pas prendre à la légère. Rappelez-vous que vos proches veulent votre bien et ne sont pas là pour vous mettre des bâtons dans les roues. Ils s'inquiètent pour vous et pour votre relation. Si vous n'acceptez pas de mettre un peu d'eau dans votre vin, de ralentir, vous pourriez bien voir vos relations les plus chères s'effondrer comme des châteaux de cartes emportés pas le vent.

Malheureusement, il faut trop souvent atteindre ce point de non-retour pour que plusieurs se réveillent véritablement. Mais il est alors souvent trop tard : on a déjà perdu gros.

Vivre avec une superfemme n'est pas facile, pas plus pour le conjoint que pour les enfants. Les uns et les autres se sentent souvent délaissés, malgré ses efforts surhumains pour être partout à la fois. Bien souvent, le travail des superfemmes occupe une place très importante dans leur vie. Elles y consacrent énormément de temps et d'énergie, donnant l'impression aux proches qu'ils comptent pour peu dans la balance, et que leur intérêt premier est ailleurs. Ces bons repas préparés avec amour et cette maison qu'elles réussissent tout de même à faire reluire ne suffisent pas à les convaincre qu'ils comptent véritablement pour elles. Ce qu'ils espèrent, c'est de passer plus de temps avec elles, du temps de qualité. Ils aimeraient les voir moins pressées, plus relaxes, aptes à jouir de la vie et du temps qui passe avec eux. Ils sont malheureux de les voir si stressées, continuellement sur les dents. Ils ont même parfois l'impression qu'elles les délaissent, et cela, malgré tout ce qu'elles font. Puis, il y a cette fatigue qu'elles n'admettent pas, mais qu'ils perçoivent tous très bien ; cette fatigue qui les rend impatientes et maussades. Et s'ils osent leur parler du problème, elles rétorquent qu'il n'y a pas de problème, de la même manière que le ferait un alcoolique. Le découragement s'empare alors d'eux. Ils ne savent plus quel chemin prendre pour les retrouver et pour leur faire retrouver la raison.

Ce n'est définitivement pas simple.

Car plus ils cherchent à leur mettre le grappin dessus, plus elles filent dans leurs retranchements. Ainsi, au fil du temps, plus le mur qui les sépare du reste de la famille s'épaissit, plus la douleur s'alourdit. S'ils ont été fiers d'elles pendant longtemps, de leurs réalisations, de leur émancipation, ils n'en ont plus que faire, maintenant, de leurs réussites. Ils savent trop bien ce qu'il en coûte. Ils se foutent désormais éperdument de votre « faire » ; c'est de votre « être » dont ils manquent. À partir de là, deux scénarios principaux peuvent se produire. Ou bien le conjoint décide qu'il en a assez, qu'il ne s'est pas marié et qu'il n'a pas fondé une famille pour passer son temps à attendre après quelqu'un qui ne finit jamais par être là, même quand elle y est. Il décide alors de mettre un terme à la relation et d'aller voir ailleurs, lui qui est aussi en train de se perdre à travers sa démesure. D'autres choisissent de rester, mais de changer. Ils n'attendent plus, n'espèrent plus et tentent de vivre leur vie à eux, à leur rythme, sur une voie parallèle à celle de la superfemme supertravaillante.

Et ils se retrouvent bientôt comme des étrangers habitant la même demeure, mais ayant bien peu de choses en commun, sinon que des enfants qui tentent de se frayer un chemin en bringuebalant entre les deux rails.

LA FATIGUE, ET...

Vous êtes fatiguée.

Vous ne vous en rendez peut-être pas bien compte encore, mais très bientôt vous ne pourrez faire autrement. Vous vous dépensez énormément, dormez au plus quelques heures par nuit, mangez sur le pouce et êtes stressée au maximum. Votre corps et votre esprit sont sur la corde raide. Vous brûlez la chandelle par les deux bouts. Peut-être bien que vous avez réussi à tenir ce rythme-là depuis dix, quinze ou vingt ans. Mais plus les années passent, plus votre corps accumule, plus vous vieillissez, plus il vous deviendra difficile de continuer de vivre de la sorte. Votre corps vous le dira. Écoutez-le — et surtout, donnez-lui la chance de récupérer. Même si vous devez vous lever aux petites heures du matin toute la semaine pour accomplir toutes vos tâches et terminer tard en soirée, voire dans la nuit, essayez au moins de récupérer la fin de semaine ; ce sera déjà un bon début. Si vous ne prenez pas garde à cette fatigue qui se manifeste de plus en plus, elle se transformera bientôt en un manque d'énergie généralisé. Bientôt, ce sera carrément l'épuisement qui se pointera.

À ce stade, plus question d'efficacité. La simple idée d'aller faire votre épicerie devient alors épuisante ; faire à manger devient une corvée rebutante au plus haut point. Aller au boulot deviendra quelque chose tout à fait hors de votre portée et votre médecin vous mettra en congé pour plusieurs mois. Voilà la réalité qui guette les superfemmes. Vous ne voulez pas vous rendre là. Vous n'avez nullement besoin de vous y rendre. Il vous faut reprendre le contrôle de votre vie avant que les effets dévastateurs, mais bien réels du syndrome vous rattrapent, avant qu'ils dégénèrent carrément en dépression ou autres problèmes de santé.

Sur le plan physique, les supertravaillantes, comme les superfemmes en général, peuvent voir apparaître une série de symptômes allant du simple mal de tête aux maux d'estomac, en passant par des ulcères, des étourdissements et des douleurs à la poitrine. Sur les plans psychologique et émotif, elles peuvent être plus enclines aux blancs de mémoire, à l'insomnie, plus promptes à la colère, et avoir des problèmes de concentration. Ces symptômes de premier ordre sont des signaux d'alarme qu'il faut savoir reconnaître. Car encore une fois, ceux-là peuvent ensuite dégénérer encore et encore.

De toute façon, à force de vivre dans les rouages du syndrome de la superfemme, à force de subir des échecs imposés par la recherche de l'impossible perfection, la vie finit par apparaître comme un non-sens et par perdre beaucoup de son intérêt. On développe alors une certaine impatience devant les aléas de la vie, sinon devant la vie elle-même et tout ce qu'elle représente. Même si on n'est jamais vraiment arrivé à le faire, on arrive encore de moins en moins à se détendre pour devenir au contraire plutôt anxieuse, voire carrément angoissée. Les réponses que l'on croyait être les bonnes se sont avérées insatisfaisantes. On se retrouve le bec dans l'eau, ne sachant plus vers quoi se tourner.

La vue du néant est alors aussi angoissante que paralysante.

LE DÉBUT DE LA FIN

On est maintenant à mille lieues d'avoir la maîtrise sur soi.

La débandade est maintenant partie au grand galop. Tout nous échappe ; nous n'avons plus le contrôle sur rien : notre vie déraille, et cela, littéralement. Rien ne va plus au travail ; à la maison, il y a une tension palpable, les ultimatums abondent, on ne se reconnaît plus et on ne nous reconnaît plus ; on est mal dans notre peau et on ne sait plus du tout où l'on est et encore moins où l'on s'en va. Voilà où finit par mener le fait de se négliger de soi-même.

Le contrôle, à ce stade-ci, oubliez-le ! Vous n'arrivez plus à comprendre ce qui vous arrive et vous ne savez pas comment réagir. Tout vous apparaît comme une montagne, les problèmes semblent toujours plus nombreux et il devient de plus en plus difficile de leur trouver des solutions. Vous continuez pourtant alors à avoir les mêmes exigences face à vous-même, et à ressentir encore celles des autres. Le fait de ne plus pouvoir répondre aussi bien vous terrorise.

Des idées noires commencent à prendre place dans votre cerveau : c'est le découragement. Prise au piège, vous répondez à ce trouble qui vous tenaille de la seule manière que vous connaissiez véritablement : en redoublant d'ardeur. En puisant dans votre toute dernière énergie, vous vous efforcez de ne rien laisser paraître et de demeurer la performante que tout le monde connaît. De toute façon, « on n'a pas le choix ».

Enfin, « pas le choix » jusqu'à ce que l'épuisement vous frappe tout d'un coup, vous rendant, un bon matin, tout à fait incapable de rentrer au boulot ou carrément de sortir du lit.

CHAPITRE 7
COMPRENDRE ET RÉAGIR

Tôt ou tard, un retour en arrière s'impose. Il vous faut chercher à comprendre qu'est-ce que vous cherchez à fuir en agissant de manière excessive. En cherchant dans votre histoire personnelle, vous apprendrez à mieux vous connaître ce qui vous aidera à apporter les changements qui s'imposent. Votre analyse vous permettra de percevoir la réalité sous un jour nouveau. Cette étape primordiale de votre rétablissement vous permettra de constater combien vous êtes allée loin, combien vous avez exigé de vous et des autres, et facilitera votre ouverture à plus de souplesse.

Cela dit, il est à souhaiter que ce retour sur vous vous entraînera sur le chemin du pardon, car jusqu'ici vous avez eu du mal avec ce mot. Vous n'avez pas su pardonner aux fantômes du passé qui vous ont blessée, pas plus que vous n'avez réussi à vous pardonner vos propres erreurs au quotidien. C'est en abdiquant devant la recherche de la perfection que vous arriverez enfin à pardonner et à vous libérer du coup d'un lourd fardeau. L'imperfection n'est pas impardonnable ; elle est humaine, malgré tout ce qu'on a tenté de vous inculquer durant votre enfance. Lorsque vous aurez assimilé cette réalité inéluctable, vous serez par ailleurs beaucoup moins susceptibles de devenir impatiente et intolérante.

Ouvrez-vous les yeux, voilà ce qu'il vous faut d'abord faire.

Cessez de vivre dans le déni comme le font les alcooliques lorsqu'on tente de leur faire voir qu'ils ont un problème avec l'alcool. Regardez-vous agir, honnêtement. Ce regard intensif sur vous-même ne vise nullement à vous critiquer ou à vous rabaisser. Vous n'avez pas à vous reprocher d'avoir agi comme vous l'avez fait jusqu'à maintenant. Vous avez utilisé inconsciemment un mécanisme de défense qui vous a permis de garder la tête hors de l'eau pendant des années. Vous n'aviez pas conscience de l'aspect dangereux du mécanisme et ne saviez même pas que vous cherchiez ainsi à passer par-dessus la douleur.

Maintenant, vous savez.

Maintenant, vous pouvez agir consciemment, intervenir, changer.

Pour prendre une nouvelle route, un nouveau départ, il faut d'abord laisser derrière soi le désuet, le surplus, et se munir de nouvelles cartes et d'ouverture.

En d'autres mots, il vous faudra lâcher prise.

Pour les performantes que vous êtes, ces deux mots ressemblent à l'abandon et vous n'êtes évidemment pas très chaudes à l'idée, car abandonner ne fait pas partie de votre vocabulaire. Mais il n'est pas question d'abandonner la course avant d'avoir touché le fil d'arrivée, d'abandonner votre intérêt pour la recherche de l'excellence, etc. Ce qu'il faut abandonner, c'est d'abord et surtout ce qui vous fait le plus de tort, c'est l'excès et les émotions négatives refoulées qui vous y poussent.

Lâcher prise, ici, c'est en quelque sorte s'abandonner à soi-même, dans le sens noble du terme ; c'est cesser de chercher notre réussite et notre succès dans le regard des autres, c'est s'en remettre à soi, mais à un soi plus souple.

Lâcher prise, également, c'est cesser de croire que le monde repose sur nos épaules ; c'est décider d'accepter l'idée que nous sommes remplaçables, c'est accepter le fait que nous puissions avoir besoin d'aide, que nous puissions avoir besoin des autres. C'est aussi reconnaître les erreurs que nous avons pu commettre de manière à les laisser s'envoler sereinement dans le passé. Lâcher prise, c'est cesser de vouloir tout contrôler et accepter que chacun soit maître de son destin et de tout ce qui lui arrive. Lâcher le contrôle, oui, lui donner un peu de lest, vous donner un peu de répit, à vous autant qu'aux autres. C'est en abandonnant ce contrôle que vous saurez laisser un peu plus de place à vos émotions, à vos sentiments ; et là-dessus, contrairement à ce que vous croyez, vous pouvez avoir du contrôle. Remettez les choses à leur place, dans une juste perspective ; prenez du recul.

Lâcher prise peut aussi passer par l'acceptation du changement.

Les superfemmes ont du mal à accepter le changement pour la simple et bonne raison qu'il est rempli à craquer d'imprévus qu'elles détestent, comme nous l'avons vu précédemment, parce qu'ils ne leur donnent pas l'occasion de satisfaire leur besoin de contrôler.

Apprendre à accepter le changement comme une réalité de la vie est une manière de réintroduire un peu de souplesse dans sa vie.

RALENTIR

Voilà un des premiers gestes à faire si vous vous reconnaissez dans ce tableau de la superfemme, et davantage encore si vous croyez être une superfemme au bord de la crise de nerfs : ralentir. Mais pour la superfemme, ce n'est pas rien. Elle est tellement engagée à différents échelons, son agenda est tellement bondé, qu'elle ne peut pas, allons donc ! bien sûr qu'elle le peut.

Un bon moyen de commencer à ralentir est de vous mettre à refuser de nouvelles responsabilités. N'en jetez plus, la cour est pleine ! Voilà ce que devrait être votre nouveau mot d'ordre.

Vous en avez suffisamment comme ça. À partir d'aujourd'hui, il vous faut apprendre à refuser, à dire non. Il vous faut apprendre à ne pas vous sentir obligée d'être la reine de toutes les situations, à ne pas vous sentir obligée d'être toujours sur la ligne de feu. Vous avez longtemps tenu les premiers rôles et vous êtes essoufflée ; acceptez donc, désormais, de vous contenter de prendre quelques rôles secondaires. On ne vous en tiendra pas rigueur ; peut-être même, sans doute, permettrez-vous ainsi à d'autres de prendre une place qu'ils souhaitent prendre depuis longtemps sans qu'ils y aient réussi.

Fixez-vous des objectifs concrets et réalistes. Si vous vous demandez trop d'un seul coup, vous échouerez probablement et vous vous mettrez rapidement à douter de votre capacité à réussir votre réadaptation. Car c'est bien de cela qu'il s'agit : de vous réadapter. Et comme un alcoolique, comme un toxicomane, comme une personne qui a une dépendance aux médicaments, vous serez tentée, vous aurez envie de faire marche arrière, vous tâcherez de vous convaincre que finalement, il n'y avait pas de problème, pas de mal à vivre ainsi. Si cela vous arrive, ou plutôt, lorsque cela vous arrivera, tâchez de vous rappeler que vous êtes en plein processus de déni, que vous fuyez la réalité parce que le changement vous fait peur et qu'il est difficile. « Mais rappelez-vous aussi que de l'autre côté de vos efforts pour changer, c'est une vie plus sereine et heureuse qui vous attend.

Le jeu en vaut la chandelle, soyez-en convaincue et persistez.

Si vous avez l'habitude d'arriver au bureau aux petites heures du matin, deux heures avant tout le monde, essayez de rompre ne serait-ce qu'occasionnellement avec cette tradition. Ne serait-ce qu'une fois par semaine, le lundi, par exemple, ou n'importe quel jour qui vous convient le mieux, permettez-vous d'arriver à peu près à la même heure que tout le monde. Puis, essayez après quelque temps de faire la même chose le soir. Faites cet exercice de manière systématique, semaine après semaine jusqu'à ce que ce soit devenu une routine. Bien sûr, il y aura des exceptions. Des exceptions — qu'il soit clair que ce n'est pas tous les jours qu'il y aura des exceptions.

Reconnaissez une bonne fois pour toutes que du travail, il y en aura toujours ; que vous ne viendrez jamais à bout de voir votre table de travail remplie de dossiers en cours. Alors, cessez de vouloir continuellement tout terminer dans des délais déraisonnables. Apprenez à faire ce que vous avez à faire, simplement, sans trop vous soucier de ce qu'il y aura à faire demain et la semaine prochaine. Vous perdez inutilement votre temps et votre énergie et vous n'allez pas plus vite.

En un mot comme en cent : ralentissez.

Apprenez à vivre un jour à la fois, parfois même une heure à la fois, cela vous aidera à ralentir le rythme.

UN CORPS SAIN DANS UN ESPRIT SAIN

Pour vous aider dans votre démarche de ralentissement, pensez à accorder à votre corps les petits soins tout à fait normaux dont il a besoin et dont il a toutefois été privé depuis longtemps. Ce rapprochement avec votre corps vous sera aussi très bénéfique. Le temps que vous lui consacrerez sera du temps que vous volerez à la débandade habituelle ; vous aurez déjà gagné une petite victoire sur votre dépendance à la démesure.

Prendre le temps de manger est une des actions prioritaires à inscrire désormais à votre agenda. Vous verrez comme ce simple petit changement à votre vie aura des répercussions importantes à de multiples échelons. En prenant le temps d'aller dîner à l'extérieur plutôt que sur votre table de travail c'est un message clair que vous envoyez à vos collègues et patrons. Ils constateront bien vite que quelque chose est en train de se passer, que vous êtes en train de changer, que vos valeurs changent. Ils comprendront peut-être que vous êtes fatiguée, essoufflée et que vous avez besoin de répit et comprendront peut-être qu'ils ont intérêt à ne pas trop tirer sur la corde. Et si on vous demande d'envoyer une télécopie à 11 h 55, alors que vous êtes sur le pas de la porte, dites que vous ne pouvez pas, que vous avez rendez-vous pour dîner, que vous êtes en retard et que vous l'enverrez au retour.

Bien sûr, il y a des exceptions, des moments d'urgence où on sait très bien qu'agir de la sorte n'est pas très professionnel. Mais ce sont des exceptions et cela ne devrait donc pas se produire tous les midis. Ne soyez pas dupes ; on a abusé de votre zèle assez longtemps ; maintenant, vous passez le flambeau.

D'ailleurs, les repas sont des moments de la journée qui sont censés être voués à la relaxation, à la communication, à faire le plein d'énergie. Vous avez besoin de tout ça : d'énergie, de relaxation, de communication. Dans le feu de l'action depuis des lustres, dans la course à la perfection, à la performance, vous avez si peu entendu ce que les autres avaient à dire, ce que vos propres tripes avaient à vous dire. Tâchez maintenant de profiter pleinement de ces haltes dans la journée. Prenez le temps non seulement de manger, mais de bien manger, de manger sainement et en prenant véritablement conscience de ce que vous êtes en train de faire. Faites l'effort de manger plus lentement que vous en avez l'habitude. Comme la majorité des gens, et comme surtout, la majorité des superfemmes, vous mangez sûrement très vite, trop vite. Ralentissez. Ce n'est pas une course. Normalement, vous devez avoir une heure pour dîner. Prenez-la, complètement.

Peut-être aurez-vous du mal à le faire au début; sûrement vous sentirez-vous coupable. Alors, allez-y graduellement. Commencez par prendre 15 minutes. Puis, après une semaine ou deux à ce régime, ou davantage, si vous ne vous sentez pas prête, commencez à prendre 30 minutes. Donnez-vous encore un peu de temps pour vous acclimater, puis passez enfin à cette heure complète. Vous constaterez bientôt que cette heure vous sera en fin de compte bien rendue. Contrairement à ce que vous croyez, elle ne vous fait pas perdre de temps. Au contraire, à votre retour, vous êtes plus disposée à abattre la tâche qui vous attend, vous êtes plus productive.

Alors, cessez de vous sentir coupable et profitez-en.

Sans compter que, déjà, ce premier geste vous permettra de ralentir le rythme.

Cette coupure au milieu de la journée brisera l'ascension de la tension qui s'accumule durant toute la journée. Elle vient comme remettre les pendules à l'heure, remettre le compteur à zéro, donner à la respiration une chance de retrouver une vitesse normale. C'est tout votre corps et votre esprit qui s'en trouvent ragaillardis.

Cette première reprise de contrôle sur votre temps vous donnera bientôt envie de passer à une autre étape, de vous offrir d'autres moments à vous. C'est maintenant du côté de la maison que le plaisir pourrait se poursuivre. Depuis des lustres, vous rentrez peut-être pour souper alors que tout le monde est déjà sorti de table pour s'en retourner vaquer à ses occupations ou s'amuser. Ou bien vous mangez tous ensemble pendant un gros dix minutes avant que la cohue reprenne. Voilà donc un autre moment où vous pourriez ralentir. Essayez de prendre l'habitude de partager au moins un repas en famille durant la semaine; un repas dans le calme et la tranquillité. Commencez par essayer d'y consacrer une demi-heure.

La fin de semaine, vous pouvez tenter de passer à une heure. Prenez le temps de concocter les petits plats en famille, de faire les courses ensemble, de dresser le menu ensemble. Il s'agit là de plaisirs simples, mais tellement nourrissants, à tout point de vue, que tout le monde y prendra goût, surtout si chacun est écouté et a droit de parole, si on se parle des « vraies choses », si l'atmosphère est détendue.

Voilà de belles occasions de se retrouver ; des moments privilégiés et qui vous permettent aussi de recharger vos batteries pour revenir à la tâche remplie d'une énergie nouvelle.

Si vous avez atteint de sérieux sommets sur l'échelle de la démesure au boulot, sans doute vous faudra-t-il employer des moyens plus drastiques, des moyens qui touchent concrètement votre degré d'investissement au travail. Par exemple, ne pourriez-vous pas penser à un changement d'horaire ? Il est certain qu'à l'heure actuelle cela vous paraît encore tout à fait impensable, irréaliste. Mais permettez-vous seulement de laisser germer l'idée dans votre tête.

Et, pourquoi pas, tentez de monter des plans possibles sur papier, juste pour vous... pour le moment. De plus en plus de femmes, surtout des mères pour qui le temps est évidemment encore plus rare que pour les autres et la course encore plus folle, envisagent un horaire de travail de quatre jours. Les employeurs sont du reste de plus en plus ouverts à de telles pratiques. D'autres encore choisissent de travailler quelques jours au bureau et quelques autres de chez elle. Si le type de travail que vous effectuez vous le permet, évaluez cette possibilité qui permet de ralentir la course et de vous retrouver un peu plus.

Ralentir.

Voilà ce qui vous sauvera de l'épuisement. Ralentir peut aussi vouloir dire vous reposer, concrètement. Vous en avez grand besoin.

Commencez à vous coucher plus tôt, à allonger un peu vos heures de sommeil. Profitez des week-ends pour récupérer un peu en vous permettant une sieste au milieu de l'après-midi. Si vous avez la chance de travailler tout près de chez vous, payez-vous au besoin une petite sieste sur l'heure du dîner ; cela vous aidera grandement à passer au travers de vos longues journées.

Et fatiguée comme vous l'êtes, ce petit repos bien mérité ne vous empêchera nullement de dormir le soir venu !

CHAPITRE 8

PENSER À SOI ET
S'OCCUPER DE SOI

Prendre soin de soi devrait d'abord commencer par se prendre véritablement en charge soi-même.

Jusqu'ici, vous avez pris soin de votre carrière, de votre famille, de vos amis, etc. Vous avez pris beaucoup de choses en charge ; vous avez pris tout ce que vous pouviez prendre, sauf le plus important : vous. C'est sans doute l'erreur la plus fondamentale que vous ayez pu faire jusqu'ici. Vous croyiez bien sûr prendre soin de vous, vous croyiez vous faire plaisir, mais vous commencez à réaliser que vous vous leurriez. Au fond, tout ce temps-là vous ne faisiez que jouer à cache-cache avec vous-même en vous cachant derrière les autres, les activités incessantes, etc.

Maintenant, la partie est finie ; vous venez de vous trouver, et à mille lieues de là où vous croyiez être. C'est à votre tour de vous laisser parler d'amour — et sachez que l'on n'est jamais aussi bien servi que par soi-même, dans ce domaine comme dans d'autres (ce qui ne signifie pas que les autres ne puissent pas jouer un rôle important dans nos vies, et ce, à de multiples chapitres). Mais il n'y a rien de tel que de s'aimer d'abord soi-même. Ce faisant, l'amour des autres, leur regard et leur approbation, deviennent moins essentiels, nettement moins essentiels à notre bonheur.

L'amour devient ce qu'il devrait toujours être : gratuit.

Tout à fait gratuit.

Donc, se prendre en charge c'est, dans une large mesure, choisir de s'aimer : s'aimer suffisamment pour s'écouter de la même façon qu'on est prêt à le faire pour les gens qu'on aime. S'aimer suffisamment pour accepter de se cajoler, de se traiter aux petits soins, avec tous les égards auxquels on a droit. S'aimer suffisamment pour arriver à faire des choix pour soi, pour cesser de se mettre de côté. Se prendre en charge, c'est choisir sa voie, c'est, ni plus ni moins, se choisir, de la même manière que l'on choisit l'élu de son cœur. C'est choisir de faire ce qui nous tient le plus à cœur, dans tous les domaines de notre vie. Bien sûr, on ne peut pas décider de se mettre à vivre de l'air du temps, d'amour et d'eau fraîche. Peu importe l'importance des changements que vous apporterez dans votre vie, il vous faudra continuer de la gagner, entre autres choses. Mais qui sait si vous continuerez de le faire de la même manière que vous l'avez fait jusqu'à aujourd'hui.

Ouvrez les portes de vos désirs profonds, de vos rêves enfouis, de votre réalité intrinsèque oubliée.

Qui sait si cette bouffée d'air pur ne vous entraînera pas dans un ailleurs meilleur, où vous vous réaliserez différemment, mais peut-être plus sereinement. Ce retour à soi changera tôt ou tard, selon l'intensité avec laquelle vous vivrez la chose, vos valeurs. L'attrait de la performance, de la reconnaissance, de la puissance, voire de l'argent risque bien de perdre de son éclat. Peut-être serez-vous bientôt prête à sacrifier un titre, un poste ou quoi encore pour vous permettre de vivre une vie vraiment riche, pleine de votre essence la plus naturelle, mais qui vous était jusqu'à maintenant inconnue.

CE QUE VOUS AVEZ FAIT, CE QUE VOUS VOULEZ

Essayez d'analyser vos choix jour après jour. Demandez-vous régulièrement pourquoi, pour qui, au nom de quoi, vous avez accepté telle ou telle chose. À force de constater que vous répondez la plupart du temps aux désirs d'autrui plutôt qu'aux vôtres, vous en viendrez bientôt à espérer agir de même pour vous. Bientôt vous vous approcherez d'une grande réussite : celle de ne plus accepter de faire ce qui ne vous plaît pas. Ce n'est pas irréaliste. Notre éducation, la société, la majorité des gens véhiculent sans arrêt cette idée qu'« on ne fait pas ce qu'on veut ». Si, dans une large part, nous sommes libres de nos faits et gestes. Dans une mesure qui est beaucoup plus vaste que vous ne le croyez peut-être encore aujourd'hui. C'est souvent la peur, seulement, qui nous arrête, qui nous empêche d'agir. Il faut donc apprendre à la traverser, à s'en servir comme d'un tremplin, ce qu'elle est, en fait, véritablement. Au-delà d'elle, bien des possibles et des bonheurs nous attendent. Et le bonheur est simple, ne l'oubliez pas. Vous devez aussi faire vôtre cette réalité toute simple qui pourtant vous a échappé. Oui, le bonheur est simple. Répétez-le-vous souvent. Ne le cherchez plus dans l'extravagance, dans le toujours plus. Vous l'avez cherché là suffisamment longtemps pour savoir qu'il ne s'y trouve pas ; cessez aussi de chercher le bonheur demain, après-demain et l'année prochaine : il ne sera pas davantage là qu'il ne peut l'être aujourd'hui si vous n'apprenez pas, simplement, à le voir.

Prendre soin de soi signifie également de se mettre à l'écoute de soi, de reconnaître ses véritables sentiments, de les accepter, de les vivre, d'en parler. Une grande part de la vraie vie se situe de ce côté. Tant que l'on nie ses propres sentiments et émotions, on passe assurément et complètement à côté de soi. On vit à moitié endormi, comme des somnambules ambulants. Oui, les émotions peuvent souvent être troublantes, déstabilisantes. Elles peuvent par ailleurs être exquises et, dans un cas comme dans l'autre, elles nous font nous sentir extrêmement vivants.

Réappropriez-vous donc cette grande part de vous que vous avez enterrée sous la course folle et éperdue en vous cachant dans la tourmente des autres. Faites jaillir de l'ombre ce que vous êtes vraiment, vous, en dehors des autres, de leur bonheur ou de leur malheur. Prenez conscience que vous existez en dehors de ces réalités qui vous sont, en fin de compte, extérieures. Il n'est pas question de devenir insensibles. Ne vous inquiétez pas, vous n'êtes pas en train de lire un guide pour vous transformer en monstre. Rien ne vous empêche encore d'avoir de la compassion, de donner des coups de main, etc. Mais prenez un peu de distance, une certaine distance qui vous évitera de vous noyer dans le malheur, la peine et les problèmes des autres. Mettez des limites, protégez votre propre espace, voilà ce que nous disons.

ASSUMER SA COLÈRE

Au début, une des premières choses que vous ressentirez, que vous pourrez nommer, lorsque vous commencerez à faire la lumière sur ce qui se passe en vous, sera sans doute de la colère. Vous serez probablement en colère contre vous, vous vous en voudrez d'avoir ainsi perdu tant de temps à vous perdre dans des sentiers tortueux qui vous éloignaient du bonheur. Vous serez aussi, peut-être, en colère contre vos parents et l'éducation qu'ils vous ont inculquée. Vous leur en voudrez de vous avoir, en partie, poussée sur le chemin de ce syndrome. Je dis bien en partie, car toute la responsabilité ne leur revient pas à eux, si jamais ils y étaient pour quelque chose, ce qui n'est pas nécessairement toujours le cas. Vous avez aussi la vôtre à porter. Nous sommes tous, autant que nous sommes, responsables de notre bonheur comme de notre malheur. Peu importe de là où nous venons, nous pouvons tous décider d'en sortir un jour ou l'autre, de laisser au passé ce qui appartient au passé et de nous tourner vers l'avenir. Prendre soin de soi peut donc vouloir dire de choisir de laisser le passé nous quitter, choisir de dire non à la victime en nous, choisir de vivre du côté du soleil.

Oui, nous pouvons choisir de cesser d'avoir mal, nous pouvons choisir de vivre heureux.

Chaque jour, chaque minute, nous faisons face à ce choix, que certains font et d'autres pas.

N'ayez donc pas peur de la colère.

Laissez-la plutôt vous traverser, donnez-vous le droit de la vivre et elle fera bientôt place à autre chose. Mais ce premier contact avec vous, le premier véritable depuis longtemps, est d'une importance capitale. Cette colère vous confirme que vous n'acceptez plus d'être ce que vous avez été ; elle ouvre, de ce fait, la porte à un renouveau. Celui-ci sera précédé encore de peines, sans doute, et de peurs diverses : la nouveauté fait toujours peur, laisser des pans de soi derrière fait toujours peur. Le changement fait peur et vous êtes en train de changer.

Mais dites-vous bien que la vie est en perpétuel changement ; ce qui ne change pas est voué à mourir. Et, vous le verrez rapidement, la peur sera bientôt remplacée par un sentiment de conquête, de paix intérieure peu commune, par un bonheur vrai et intense.

Changer, c'est devenir. Vous êtes en train, véritablement, de devenir. Prenez soin de vous dans ce devenir, vous en avez besoin.

Offrez-vous des fleurs, dans tous les sens du terme. Oui, pourquoi pas ? De vraies fleurs — vous en êtes-vous déjà offert ? Probablement pas. Vous ne le méritiez pas ! Aujourd'hui, vous le méritez, tout autant que cette amie à qui vous en avez offert la semaine dernière. Cette semaine, elles sont pour vous, peu importe que vous soyez fière de vous ou non, contente de votre semaine ou non, que vous ayez fait des erreurs ou quoi encore.

Et à quand remonte le dernier bain que vous avez pris, bien calée dans la mousse, avec des chandelles aux quatre coins de la baignoire et un roman entre les mains ? Il y a longtemps que vous n'avez pas eu le temps de prendre ce temps. Une douche de deux minutes fait le même boulot. Non. Pas du tout. Une douche est une nécessité, un genre de devoir ; un bain est un répit, un cadeau, une douceur, un moment de tendresse avec soi, juste pour soi, un moment où on dit non au reste du monde. Voilà suffisamment de raisons pour expliquer comment prendre un simple bain peut devenir un véritable défi pour la superfemme que vous êtes. Alors, allez-y encore une fois en douceur. Ne cherchez pas à rester une heure dans vos bulles, vous risqueriez de sortir de là complètement irritable et impatiente. Ce n'est pas le but visé ! Commencez donc par prendre un bain de dix minutes ; vous devriez ainsi être capable de résister à la culpabilité ? Puis, progressivement, au fil des jours, augmentez votre temps de trempette à vingt, puis à trente minutes. Prenez-en d'abord un par semaine, puis passez à deux et à trois. Le temps que vous passerez là, vous ne le passerez pas à vous activer comme une toupie ailleurs ; ce sera déjà ça de gagné. Efforcez-vous par ailleurs de laisser aussi votre esprit tremper dans la mousse… Laissez vos soucis et vos responsabilités de l'autre côté de la porte. Au pire, vous les reprendrez en sortant. D'ailleurs, il y a de bonnes chances pour qu'ils aient alors fondu de moitié.

Puis, pensez ensuite à ce qui vous ferait plaisir.

Peut-être avez-vous délaissé, avec les années, des activités, loisirs ou passe-temps que vous appréciez beaucoup autrefois et dont vous gardez de bons souvenirs. Peut-être votre réflexion vous amènera-t-elle du côté d'un vieux rêve que vous aviez caressé, puis abandonné avant de carrément l'oublier. Commencez à laisser de la place en vous pour ces petites lumières qui vous font sourire lorsque vous y pensez. Prévoyez peut-être un moment de l'année que vous savez pertinemment être moins exigeant côté boulot et pendant lequel vous pourriez tâcher d'introduire ou de réintroduire cette activité dans votre vie.

L'idée n'est pas d'aller jeter là tout votre dévolu, de vous jeter tête première dans cette activité pour en faire un autre lieu de performance et l'ajouter à la liste de tout ce que vous avez à faire. Cette activité doit en être une de détente, de relaxation. Elle vise à vous offrir des moments à l'abri des soucis, des responsabilités et de la course folle. Elle vise à vous faire plaisir, à vous amuser, à vous retrouver.

LE MOT CLÉ : DÉLÉGUER

Même si vous ne le croyez pas encore, il y a tout de même quantité de domaines où vous pouvez déléguer. Bien sûr, vous aurez de la difficulté à le faire. Il s'agit là d'une de vos grosses lacunes, une des raisons principales qui font que vous vous sentez tellement lessivée, peut-être même au bord d'un gouffre. Mais dites-vous bien qu'il est moins pénible de surmonter ce type de difficulté que de se sortir d'un burnout.

Chose certaine, les autres ne feront jamais les choses exactement à votre manière, ni vos collègues, ni vos employés, ni votre conjoint, ni vos enfants. C'est que tout ce beau monde ne souffre pas nécessairement de la même tendance au perfectionnisme que vous, et c'est d'ailleurs tant mieux. Mais ils sont pleins de bonnes intentions et ont envie de vous donner un coup de main. Alors, apprenez à les laisser faire, à leur laisser de la place, de la latitude. Apprenez à vivre avec quelques coins ronds, avec un peu de nourriture séchée au revers d'une assiette mal lavée, avec une minuscule bavure d'encre au bas d'une lettre. Vous n'en mourrez pas, je vous assure. Laissez-en passer une, de temps en temps, sans recommencer par-dessus les autres et laissez-les aller sans continuellement vous pencher sur leur épaule pour vérifier s'ils sont dans le droit chemin. Vous leur avez donné une responsabilité, alors laissez-les se prendre en main et, surtout, détachez-vous !

À la maison, pensez à élaborer un système rotatif d'exécution des tâches. Affichez-la sur le frigo de manière à ce que tout le monde y ait accès en tout temps et qu'on n'ait pas à revenir inutilement sur ces questions qui embêtent tout le monde. Rien n'empêche par ailleurs de tenter de donner un aspect de fête à ces besognes emmerdantes que tout le monde, au préalable, abhorre, vous autant que les autres. Faites des concours, chantez ensemble, mettez la musique à tue-tête. Même les tout-petits peuvent aider grandement dans une maison. Commencez à leur apprendre à faire leur lit très tôt, ça vous fera déjà ça de moins à vous occuper. Puis, mettre ses vêtements souillés dans le panier à cet effet est ce qu'il y a de plus facile à faire. Les enfants adorent aussi arroser les plantes et sont en mesure de faire plusieurs autres menues besognes. Mettez-les à contribution. Plus vous le ferez quand ils sont jeunes, plus l'habitude sera ancrée à l'adolescence — et plus vous vous en féliciterez.

Cela dit, avez-vous déjà pensé à prendre une femme de ménage ? Cela existe, vous savez ? Et c'est fait pour le monde, particulièrement pour ceux qui manquent de temps et qui ont l'impression qu'ils vont bientôt disjoncter. Si vous réfutez l'idée pour des raisons économiques, sachez que j'avais une amie qui disait que ça revenait moins cher de payer une femme de ménage que de se payer un divorce ! Alors si ce genre de besogne, en plus de vous gruger le petit temps qu'il vous reste, vous rend irritable et sème la pagaille chez vous, pensez-y sérieusement. Si vous ne vous voyez pas prendre une femme de ménage sur une base régulière, payez-vous au moins le plaisir de faire entrer une fois de temps en temps une de ces petites fées dans votre foyer, histoire de vous désengorger un peu. Peut-être, c'est à souhaiter, y prendrez-vous goût...

Et il n'y a aucun mal à cela, mais alors vraiment pas !

Au boulot, selon ce que vous faites, il y a aussi mille et un moyens de réduire votre liste d'urgences. De ce côté davantage qu'à la maison, vous aurez un immense travail à faire en ce qui concerne la confiance que vous accordez aux autres. Il vous faut apprendre à faire confiance et à accepter l'idée que vous n'êtes pas seule : vous faites partie d'une équipe. Et dans une équipe, chacun a ses forces et ses faiblesses dont, au profit du groupe et des résultats, tout le monde doit apprendre à tirer profit. Faites appel à votre équipe au lieu de demeurer dans votre tour d'ivoire à chercher à vous prouver que vous pouvez vous démener seule. Votre attitude, en plus de vous détruire à petit feu, sape le moral des troupes. En choisissant plutôt de faire réellement partie intégrante de l'équipe, vous réduirez le stress de tout le monde, y compris le vôtre.

VISEZ L'ÉQUILIBRE

Voilà un mot-clé que vous devriez désormais tenter d'ajouter à votre vocabulaire.

Jusqu'ici, peut-être commencez-vous à le reconnaître, vous viviez de manière tout à fait déséquilibrée. Vous avez concentré beaucoup trop d'énergie à votre travail, aux dépens de vos proches et de vous-même, ou (et peut-être même simultanément), trop de temps aux autres et trop peu à vous-même. Il faut désormais tenter d'équilibrer le temps et l'énergie accordés au travail, aux loisirs, à la famille, à soi et aux autres. Sans équilibre, il est inévitable que nous devenions tôt ou tard déstabilisés, ne sachant plus trop bien sur quel pied danser. La confusion s'installe en nous. Il n'y a rien de tel que l'équilibre pour ramener l'ordre en la demeure. Pour certains, pour vous sans doute, l'équilibre peut paraître quelque chose d'insipide qui ne laisse pas de place à la passion. Il vous faut dès lors reconnaître que ce que vous croyez être une passion est en fait, fort probablement, une échappatoire.

Et quoi que ce soit que vous aimiez, que ce soit votre travail ou vous consacrer aux autres, dites-vous bien que rien ni personne ne vous demandera de le jeter aux orties ; on ne peut pas vous demander de cesser de travailler ou de vous occuper de votre famille, mais seulement de mettre un peu, beaucoup de modération dans vos mouvements de tout ordre. Tant que vous n'accepterez pas que votre vie a besoin d'équilibre pour arriver à vous satisfaire véritablement, vous passerez à côté de l'essentiel.

Faites le tour du propriétaire et cherchez à déterminer les domaines de votre vie auxquels vous consacrez le plus clair de votre temps et ceux qui passent en douzième lieu ; vous constaterez assurément que la balance penche allègrement davantage d'un côté que de l'autre et qu'il y a des domaines qui souffrent de manquements. Demandez-vous si vous vous sentez réellement à l'aise avec cette situation et si vous la jugez acceptable, à court, à moyen et à long terme. Sûrement que des aberrations vous sauteront aux yeux.

À partir de là, il ne reste plus qu'une chose à faire : prendre des résolutions. Faites-vous confiance et affirmez que vous allez commencer dès aujourd'hui à tenter de rétablir l'équilibre, un jour à la fois. Dépendamment de vos zones erronées, vous choisirez peut-être de commencer par emmener votre petite famille au restaurant pour passer plus de temps de qualité avec eux en évitant soigneusement de tomber dans un dossier dès le repas terminé. Peut-être choisirez-vous plutôt de vous faire plaisir à vous et à vous seule et irez prendre une marche dans le bois sur l'heure du dîner au lieu de manger en travaillant. Peut-être déciderez-vous de ne pas appeler vos frères et sœurs pour organiser la fête des Mères de dimanche prochain, même si on est déjà jeudi et que personne n'a encore pris les commandes. Peut-être arriverez-vous à conseiller fortement à l'amie que vous hébergez, nourrissez et ramassez depuis trois mois qu'il serait temps qu'elle commence à penser à s'organiser autrement.

Penser équilibre vous invite inéluctablement à mettre de l'ordre dans vos priorités.

Jusqu'ici vous vous êtes laissé happer par le besoin de contrôler, par le besoin d'approbation et d'appréciation, par la culpabilité et tous ces monstres qui vous gouvernaient. Ils vous ont si bien aveuglée que vous avez perdu de vue le sens véritable de la vie. Il est grand temps de faire un grand ménage dans vos valeurs et de remettre les choses bien à leur place. Vous n'êtes nullement obligée d'attendre de perdre votre famille pour réaliser combien elle comptait pour vous et que vous auriez dû faire plus attention. Vous n'êtes pas non plus obligée de tomber malade pour réaliser que vous en faisiez beaucoup trop. La simple recherche de l'équilibre peut vous aider à éviter ces véritables fiascos qui vous guettent.

On ne peut certes pas prétendre à la perfection en ce qui a trait à l'équilibre, pas plus que dans n'importe quel autre domaine, mais on peut cependant chercher à tendre vers elle, à la rechercher.

Trouver l'équilibre devrait être votre nouveau choix de vie, votre nouveau style de vie. En travaillant sur votre estime personnelle, vous aurez plus de facilité à vous tourner vers l'équilibre parce que vous aurez davantage envie de vous faire du bien.

APPRENDRE À NE RIEN FAIRE

Ne rien faire, ne rien préparer, ne rien planifier. Toutes des choses qui vous ont longtemps rebutée, que vous avez fuies comme la peste. Mais vous savez désormais qu'en fuyant cela, c'est bien plus que vous cherchiez à faire taire. Maintenant que vous êtes consciente et prête à laisser parler toutes vos petites voix et à agir en accord avec votre vrai moi, ne rien faire pourra prendre des allures de vacances bien méritées.

En cessant de croire que vous êtes surhumaine, vous finirez par admettre que vous avez besoin de vous débrancher de temps en temps, que vous êtes à off, comme tout le monde, et que c'est correct. Il s'agit là d'un besoin naturel contre lequel on ne peut rien, d'un besoin qu'il faut reconnaître, au même titre que celui de dormir, de manger, de faire l'amour, etc. Ne vous battez plus contre la nature ; vous êtes vaincue d'avance. Cherchez plutôt à vous ranger de son côté et, pourquoi pas, à l'imiter. S'attarder à regarder la nature, à la vivre, est un moyen fort efficace de prendre le temps et de saisir ce dernier. La prochaine fois que vous passerez près d'un parc, prenez le temps de vous y arrêter. Allez vous asseoir sous un arbre et prenez contact avec les sons, les odeurs et les couleurs qui vous environnent. Enlevez vos chaussures et vos bas et sentez l'herbe fraîche sous vos pieds.

Voilà ce que c'est que de prendre le temps de ne rien faire : c'est s'offrir un moment privilégié, parfois, souvent, imprévu, simplement pour sentir la vie qui coule. Un seul petit quinze minutes au parc vous fera un très grand bien ; vous en sortirez comme régénérée, plus sereine. La nature est sereine et nous oblige à nous sentir comme elle. Trouvez le moyen de lui faire une petite place dans votre vie. Puis, au fur et à mesure que vous constaterez les effets bénéfiques qu'elle a sur vous, vous serez plus encline à en profiter encore davantage. Peut-être redécouvrirez-vous bientôt les plaisirs des pique-niques en famille, le bonheur que procure un tour en canot, sur le lac, à la tombée du jour, le calme de la forêt, etc.

CHAPITRE 9

FAIRE LA DIFFÉRENCE ENTRE « ÊTRE » ET « FAIRE »

Vous vous êtes toujours définie par ce que vous faisiez, produisiez, par vos performances et votre rendement. Vous n'êtes pas la seule à vous être fait engouffrer par cette manière de vous juger ; la société dans laquelle nous vivons nous y invite tous autant que nous sommes, les jeunes comme les moins jeunes. Pourquoi croyez-vous que les nouveaux retraités ont si souvent tant de mal à s'adapter à leur nouvelle vie ? Parce que ne travaillant plus, ils ne savent plus comment se définir, se valoriser. Ils ne font plus rien, ils ne sont plus rien. C'est le message que tout le monde leur renvoie et qu'ils ressentent au plus profond de leurs tripes. Et c'est le même que reçoivent aussi aujourd'hui les femmes qui ont choisi de demeurer à la maison au lieu de se consacrer à une carrière. Ces femmes qui demeurent à la maison sont souvent jugées comme des femmes qui ne font rien de leur vie. Parce qu'élever des enfants, voyez-vous, ça ne pèse plus très lourd dans la balance. Quelqu'un qui réussit sa vie est quelqu'un qui travaille fort, qui a un poste, une position, des promotions, des bonus, qui gagne beaucoup de sous — là, tu parles ! Alors quand le travail vient à manquer, quand la rétrogradation se pointe, le remerciement, le chômage, la mise sur la tablette ou la retraite, c'est le néant qui s'installe. On a l'impression d'avoir tout perdu, de n'être plus rien.

C'est une mentalité terrifiante et terrible et qui fait bien du tort sur son passage, une mentalité à la source de nombreuses dépressions. Mais il nous faut sortir de ce guet-apens, aussi bien individuellement que collectivement. Toutefois, avant que les collectivités changent, que la société change, il faut d'abord que des individus se mettent debout et commencent la marche. Il nous faut prendre conscience qu'avant de faire quoi que ce soit il nous faut être. C'est l'être, qui nous permet de faire. Sans l'être, rien n'est possible. Alors, comment se fait-il que nous lui accordions si peu d'importance ? Comment se fait-il que nous le reléguions sans cesse au second plan ?

Pour guérir de votre démesure, de votre compulsion dans le travail et ailleurs, il vous faut apprendre à renverser la vapeur, à accorder plus d'importance à votre être. Il vous faut comprendre que quoi que vous fassiez, vous avez de la valeur, qu'aucune erreur, qu'aucune critique ne devrait avoir le pouvoir de vous l'enlever. Par ailleurs, vos réussites n'ont pas la capacité de vous guider vers le bonheur. Quantité de gens qui « réussissent », et peut-être bien vous-même, ne sont pas bien dans leur peau, ne sont pas heureux. Si le bonheur se trouve quelque part, c'est véritablement du côté de l'être qu'il faut d'abord et surtout le chercher. Et, pour que votre être se porte bien, il faut le traiter aux petits soins. Non, il n'y a pas grand-chose de gratuit dans la vie, pas grand-chose qui ne demande pas quelques efforts ; mais comme vous le savez, ceux-là sont cependant toujours récompensés. Ainsi, en accordant une attention particulière à votre être, vous favoriserez la résurgence de l'estime de vous-même.

Évidemment, il vous faudra par ailleurs apprendre à cesser de vous persécuter et de vous dénigrer — donnez-vous une chance, que diable ! Rappelez-vous d'abord qu'en tant qu'être humain unique, vous avez déjà une valeur inestimable, peu importe ce que vous fassiez et en dépit de vos imperfections. Cessez de chercher à évaluer cette valeur, de la comptabiliser. À quoi cela rime-t-il ? Vous en avez, un point c'est tout. Cessez par ailleurs de vous comparer sans arrêt aux autres ; cette attitude est mortelle et tout aussi puérile : le fait que les autres aient de la valeur ne vous enlève nullement la vôtre, pas plus que le fait que certaines personnes ne vous aiment pas ou ne soient pas d'accord avec vous ou avec ce que vous faites.

Choisir de vivre du côté de l'être plutôt que de celui du faire vous aidera peu à peu à abandonner l'idée que vous devez être à tout prix la meilleure dans tout. En donnant à l'être davantage d'importance, vous vous départirez par ailleurs du désir constant d'être approuvée ; vous en viendrez bientôt à n'en avoir que faire que l'on vous approuve ou non et vous finirez par vivre pour vous-même, votre propre vie. Vous réussirez à avoir du plaisir même en vous situant dans la moyenne et à vous pardonner vos erreurs. Vous découvrirez enfin avec bonheur que l'on peut vous aimer pour ce que vous êtes et non pas simplement pour ce que vous faites. En choisissant davantage d'être, vous vous ouvrirez à un vaste monde, vous élargirez vos horizons et les opportunités de bonheur.

TENDEZ LA MAIN

Vous l'avez assez fait dans le passé, il est temps d'avoir un retour d'ascenseur ; vous y avez droit. Vos parents retraités, votre sœur au chômage, votre voisin qui s'ennuie, tout ce monde-là fait partie du réseau sur lequel vous avez le droit de compter. Pourquoi ne pas demander à votre mère d'amener le petit chez le dentiste, à votre voisin qui s'ennuie d'aller promener le chien, etc. ?

S'il vous a fallu apprendre à dire non à certaines choses, il vous faut maintenant apprendre à dire oui. Question d'équilibre. Donner, recevoir. Le monde dans lequel nous vivons n'est pas si individua-liste que nous le croyons. Tout le monde finit par se sentir bien mal dans sa solitude et par espérer la présence des autres. L'entraide, la coopération, cela existe encore et fort heureusement. Servez-vous, vous y avez droit autant que les autres. Mais pour cela vous devez apprendre à demander, et ne pas toujours attendre que l'on vienne vers vous, que l'on vous offre du soutien sans que vous ayez à le demander. Parfois, il arrive oui, que notre détresse soit si évidente que de pareilles offres nous arrivent sans que l'on ait besoin de lever le petit doigt. Mais, d'autres fois, nos besoins sont moins évidents et les autres ne peuvent pas les deviner. Excepté que dès qu'ils savent, bien souvent, ils s'offrent. Tout le monde a besoin de donner autant que de recevoir, d'aimer autant que d'être aimé. Nous sommes là pour nous aider les uns les autres, pour nous faciliter la vie, pour nous aider. Allez hop ! N'hésitez plus. Votre refus de le faire pourrait d'ailleurs finir par choquer votre entourage, par les blesser, eux qui ne se sentent ainsi pas dignes de votre confiance.

Marthe avait aidé et soutenu Julie de maintes façons durant les six mois qui ont suivi sa séparation. Elle l'appelait tous les jours, venait lui porter des petits plats sur le pas de sa porte, venait la chercher de force pour aller marcher et prendre l'air, l'écoutait, la consolait, la conseillait, etc. Sa présence était quotidienne. Marthe a même hébergé Julie toutes les fins de semaine pendant six mois, prenant soin de lui concocter des repas savoureux, de l'inclure aux fêtes familiales et de la chouchouter de diverses manières. Si, peu de temps avant l'épreuve, Marthe et Julie n'étaient que de vagues copines, elles ont développé dans la tourmente une belle et profonde amitié. Elles étaient on ne peut plus proches et complices. Julie ne sait pas encore aujourd'hui comment elle aurait traversé la tempête si Marthe n'avait pas été dans sa vie. Marthe la sauveuse, la mère Teresa, la bénévole du comté, la future canonisée, la superfemme par excellence. Un jour, cette belle amitié fut fort ébranlée parce que la superfemme vécut des difficultés sans en parler à son amie. Julie, voyant Marthe transformée, muette, éteinte, moins disponible et moins présente ne put que s'imaginer qu'elle avait fait quelque chose de travers. D'ailleurs, elles avaient bien eu quelques jours auparavant une petite altercation qui, se disait-elle, pouvait peut-être bien être à l'origine de ce froid. Mais comme elles avaient tout de même souvent de petites prises de bec bien amicales qui finissaient toujours par passer, elle en doutait tout de même un peu. Après quelques jours à se morfondre et à espérer le retour de son amie qui s'éteignait à petit feu, elle finit par lui demander ce qu'il y avait, si elle y était pour quelque chose. Il n'y avait rien et elle n'avait rien fait.

Mais son amie continuait visiblement d'être ailleurs.

Julie crut qu'elle en avait peut-être assez d'elle, qu'elle en avait peut-être assez fait.

Elle décida de s'éclipser un peu, de prendre des distances pour tenter de préserver ce qui semblait rester de cette amitié à laquelle elle tenait comme à la prunelle de ses yeux. Son amie lui manquant trop, elle ne tint que quelques jours et revint à la charge.

C'est à force d'insister et de faire savoir à son amie à quel point elle se sentait triste que Marthe finit par lui dire qu'elle avait eu une grosse chicane avec son mari et qu'elle l'avait menacé de le quitter. Marthe était une dame dans la cinquantaine avancée qui était avec son mari depuis près de 40 ans. Julie fut attristée par la nouvelle, mais aussi, beaucoup, par le fait que Marthe ne lui avait rien dit. Elle aurait tellement aimé être là pour elle, pouvoir l'aider, la consoler, lui prêter son épaule, lui rendre la pareille, lui offrir quelque chose. Même si Marthe lui expliqua qu'elle n'avait pas l'habitude de se plaindre ni de partager ses problèmes avec les autres, Julie ne put s'empêcher d'interpréter le geste de Marthe comme un manque de confiance. L'amitié, lui semblait-il, n'était valable que dans un sens, ce qui, pour elle, n'avait pas de sens.

SE DONNER LE TEMPS DE CHANGER

Pour se guérir de notre dépendance à l'action démesurée, il faut se donner du temps.

Malgré toute la bonne volonté du monde, nous ne pouvons changer une attitude ancrée en nous depuis l'enfance en un clin d'œil.

On ne peut balayer du revers de la main nos profondes habitudes, si mauvaises soient-elles, sans consacrer suffisamment de temps à la compréhension du comportement et à ses origines. Il faut se donner le temps de changer, petit à petit, en gravissant une marche à la fois chaque jour, chaque semaine. Rien ne sert de tenter d'accélérer le processus ; vous courriez alors simplement à votre perte. Concentrez-vous sur vos efforts quotidiens et reconnaissez vos succès, les uns après les autres. Additionnez-les, ils finiront par créer un réel changement que vous pourrez apprécier avec fierté.

Si vous avez réussi à ralentir au boulot, vous avez déjà remporté une manche importante. Mais la partie n'est pas terminée, loin de là ! L'univers, vous commencez à le concevoir, ne tourne pas uniquement autour de votre table de travail. Aussi, vos efforts pour adopter un nouveau mode de vie doivent se faire sentir aussi du côté de votre chez-vous. Déjà, peut-être, avez-vous commencé à déléguer certaines tâches.

C'est bien, c'est un bon début.

Déjà, peut-être, avez-vous commencé à fermer les yeux sur les coins ronds.

C'est très bien.

Mais avez-vous apporté des changements à ce que vous faites, vous, dans la maison ? En faites-vous moins ? Vous en demandez-vous moins ou continuez-vous de vouloir à tout prix une maison parfaite ? N'avez-vous pas encore compris qu'une maison est un lieu de vie et non pas une page de magazine de décoration. Il est normal que tout ne soit pas à sa place en tout temps, et surtout si on a des enfants. Essayez de mettre un peu de souplesse dans cette compulsion qui vous fait vous sentir si souvent mal, inutilement. Qu'est-ce que ça peut bien faire si quelqu'un arrive à l'improviste et que la vaisselle n'est pas faite ? Croyez-vous encore que l'on vous jugera là-dessus ? Que l'on vous appréciera moins, en tant que personne, pour une telle futilité ? Prenez donc un peu le temps de vivre. Êtes-vous de celles qui refusent une invitation de dernière minute parce que vous avez du repassage à faire ? Croyez-vous que vous ne vous en voudrez pas, sur votre lit de mort, d'être passée à côté de votre vie, comme ça, pour des choses sans importance ? Les moments entre amis, avec la famille, les douceurs, les plaisirs ; voilà ce que vous vous remémorerez avec le plus d'émoi sur votre lit de mort.

À ce sujet, voici quelques mots écrits par une dame, Erma Bombeck, qui a perdu son combat contre le cancer. Peut-être sauront-ils vous faire réagir...

SI JE POUVAIS REVIVRE MA VIE

J'aurais moins parlé, mais écouté davantage.

J'aurais invité des amis à venir souper même si le tapis était taché et le divan défraîchi.

J'aurais grignoté du maïs soufflé au salon et ne me serais pas souciée de la saleté quand quelqu'un voulait faire un feu dans le foyer.

J'aurais pris le temps d'écouter mon grand-père évoquer sa jeunesse.

Je n'aurais jamais insisté pour que les fenêtres de la voiture soient fermées par un beau jour d'été tout simplement parce que mes cheveux venaient tout juste d'être coiffés.

J'aurais fait brûler ma chandelle sculptée en forme de rose au lieu de la laisser fondre d'elle-même parce que entreposée pendant trop longtemps dans l'armoire.

Je me serais assise dans l'herbe avec mes enfants sans me soucier des taches de gazon.

J'aurais moins ri et pleuré en regardant la télé, mais davantage ri et pleuré en regardant la vie.

Je serais restée au lit lorsque malade plutôt que de prétendre que la terre cesserait de tourner si je ne travaillais pas cette journée-là.

Je n'aurais jamais rien acheté pour la simple raison que c'était pratique, ou encore à l'épreuve des taches ou parce que garanti pour durer toute la vie.

Au lieu de souhaiter la fin de mes neuf mois de grossesse, j'en aurais savouré chacun des instants en réalisant que la merveille grandissant en dedans de moi était la seule chance de ma vie d'aider Dieu à faire un miracle.

Lorsque mes enfants m'embrassaient avec fougue, je n'aurais jamais dit : « Plus tard. Maintenant, va te laver les mains avant de souper. »

Il y aurait eu plus de « Je t'aime »... plus de « Je suis désolée »... mais surtout, si on me donnait une autre chance de revivre ma vie, j'en saisirais chaque minute... la regarderais et la verrais vraiment... la vivrais... et ne la redonnerais jamais.

Ce serait un magnifique cadeau à vous offrir que de tenter de faire vôtres quelques-unes de ces idées. Ne dites pas : « Je vais essayer » ou « Quand je serai venue à bout de ce long et difficile dossier, je vais changer ». Vous savez pertinemment bien qu'il y a toujours de bonnes excuses pour remettre à plus tard votre bien-être, comme il y en aura d'ailleurs toujours. Mais ce seront toujours de mauvaises excuses. Alors, cessez d'attendre. La vie est courte et peut nous être enlevée à tout moment, quand on s'y attend le moins.

LE TEMPS PASSE,
LES CHOSES CHANGENT...

Les superfemmes sont souvent des expertes dans l'art de recevoir, je l'ai déjà dit.

Elles sont des hôtesses extraordinaires qui se donnent corps et âme pour le bonheur de leurs invités. Même si elles n'ont pas le temps ni l'énergie à consacrer à tous ces préparatifs, elles le font quand même.

Mireille a reçu comme ça, tous les samedis soir de sa vie ou presque pendant une dizaine d'années. Au début, alors qu'elle n'avait pas d'enfants, elle appréciait beaucoup ces soirées et se faisait une joie de les préparer. Même si les invités s'en allaient tard dans la nuit, après une soirée bien arrosée, elle savait qu'elle pourrait profiter du lendemain pour se remettre et retrouver son énergie avant le retour au boulot le lundi matin. Mais avec les années, les responsabilités du boulot se sont accrues, au même rythme que les heures qu'elle devait lui consacrer. Puis, les enfants sont arrivés : un, puis deux, et enfin un troisième, et Mireille s'est retrouvée avec un téléavertisseur à la taille en permanence, un cellulaire dans sa bourse, un ordinateur et un télécopieur au sous-sol. Puis, les activités de chacun de ces chérubins, ajoutées aux petits retards et aux petites urgences de boulot, sont venues engorger l'agenda des week-ends qui sont devenus des courses contre la montre.

Mireille commençait à ressentir une grande fatigue, doublée d'une impression de se perdre et de ne plus avoir de relation avec son mari — on aurait ressenti cette impression à moins. Mais elle ne souhaitait pas, en plus, perdre ses amis. Elle s'est alors entêtée un bon moment à poursuivre les traditionnels soupers du samedi soir. Cette femme énergique, dynamique et pétante de santé s'est bientôt mise à perdre la voix, systématiquement tous les mois, puis à traîner une grosse grippe six mois par année. Lorsque son mari proposa fermement de mettre un terme à ces soirées, c'était une espèce de loque qu'il avait devant lui, mais une loque qui accepta difficilement de se rendre.

Depuis deux ans qu'elle s'est soumise à un mode de vie plus souple, moins exigeant, Mireille se sent beaucoup mieux. Elle a trouvé le moyen de garder tout de même le contact avec ses amies en les voyant le week-end, de jour, pour faire des activités avec les enfants. Elle a surtout compris qu'elle ne pouvait plus, avec trois enfants et un emploi exigeant, être en plus une hôtesse de rêve; elle a également assumé le fait qu'elle ne pouvait plus vivre comme à vingt ans et qu'elle devait changer ses priorités.

Sa priorité, c'est désormais sa famille: elle, son mari, ses enfants. Lorsqu'ils font un souper, à l'occasion, avec les amis, il est maintenant établi que ça se passe à la bonne franquette et que chacun est responsable d'un plat. Avant de partir, tout le monde se met à la vaisselle et aide les enfants à ramasser les chambres et la salle de jeux.

Autrefois, Mireille disait toujours : « Laissez faire ça; il n'y a rien là; je vais faire ça tranquillement demain. » Et quand ses invités étaient partis, elle en avait jusqu'à trois heures du matin à ramasser et à ronchonner. Et, quand il lui arrivait d'aller chez les autres, elle faisait la vaisselle et ramassait les chambres.

VIVRE L'INSTANT PRÉSENT

Oui, vous avez des soucis. Comme tout le monde. Mais vous ne les gérez pas de la même manière que tout le monde. Vous les laissez vous voler le plus clair de vos jours et êtes complètement soumise à eux. On vous parle, souvent, et vous ne nous entendez même pas.

Vous vivez dans votre tête, dans votre bulle. Sortez-en avant que la bulle n'éclate, de l'intérieur ou de l'extérieur.

Apprenez à mettre chaque chose à sa place, à ne pas mélanger vie familiale, travail, vie de couple et vie sociale. Cessez de traîner votre boulot partout. Faites-le autant pour vous que pour ceux que vous aimez. Apprenez à vivre le moment présent, à en jouir. Apprenez à faire abstraction de ce qui ne se passe pas dans l'ici et le maintenant. Comprenez que ce qui ne fait pas partie de l'ici et du maintenant n'existe même pas réellement. Ou bien vous vous en faites pour des choses ou des événements qui n'existent plus, ou bien vous vous en faites pour des événements qui font partie d'un futur hypothétique.

La seule chose dont vous puissiez être certaine, c'est du moment que vous êtes en train de vivre ; de ce moment qui jamais ne repassera de manière identique.

Vivre dans le moment présent est une des manières très efficaces de trouver le bonheur, de prendre conscience qu'il est tout à fait simple et qu'il peut sans l'ombre d'un doute être quotidien. Cessez de chercher le bonheur au bout de votre promenade puisqu'il se trouve dans chacun de vos pas.

Dans le moment présent, vous avez le plaisir de goûter, de sentir, de ressentir, de toucher, d'entendre, de voir. Voyez un peu la beauté et la magie de ces sens dont vous n'avez même pas conscience. Le moment présent est riche en énergie, il est le plus important de votre vie, celui qui peut le plus vous rendre vivant et vous mettre à l'abri de la culpabilité et de la honte. Il est le seul aussi sur lequel vous pouvez agir. Apprenez à le savourer. Apprenez à laisser le boulot au boulot pour entendre ce que vous disent vos jeunes, vos amours. Sur le chemin du retour, entre le bureau et la maison, il faut apprendre à faire une démarcation, à faire le vide pour être à nouveau entier dans le nouveau terrain où vous vous apprêtez à mettre les pieds. Être entier, voilà ce que permet le moment présent.

REDÉCOUVREZ VOTRE SPIRITUALITÉ

Depuis des années, vous vous êtes fermée comme une huître, terrée au fond de votre coquille. Bien sûr, vous n'en aviez pas l'air. Vous jouiez tellement bien votre rôle que vous avez réussi à vous convaincre vous-même que tout allait bien et que vous fonctionniez tout à fait normalement. En fait, vous avez cessé de croître, endormie que vous étiez sur les douleurs que le passé vous a léguées. Maintenant, pour réussir à mettre un terme à la débandade et retrouver l'individu qui dort en vous, il vous faut chercher à vous épanouir réellement, dans l'absolue vérité, même la dure et la blessante.

Rien ne sert de fermer les yeux encore davantage, si ce n'est pour prier ou méditer ou faire appel à votre force supérieure, quel que soit le nom que vous lui donniez.

Bien sûr, en superfemme que vous êtes, vous n'avez besoin de rien ni de personne pour arriver à vos fins. Aussi, vous tourner vers l'au-delà n'est sans doute pas une idée qui vous enchante. Vous êtes beaucoup plus pragmatique que cela, terre-à-terre. Mais cessez d'abord de voir la spiritualité comme quelque chose d'ésotérique. La force supérieure à laquelle on vous invite à vous brancher n'est pas bien loin, perdue dans un coin de paradis ou quelque part dans le néant. Elle est en vous, simplement en vous. C'est cette petite voix qui vous parle et qui sait si bien vous guider quand vous vous donnez la peine de l'écouter. C'est donc à vous que vous faites appel et à personne d'autre. Il s'agit cependant d'un aspect de vous, d'une réalité que vous n'avez peut-être encore jamais explorée et qui renferme pourtant quantité de trésors et de lumière.

Ce mot vous fait peut-être rire, mais il n'est pas loin d'une certaine réalité. Parlons d'abord d'une ouverture, d'un sentiment d'espace, de quelque chose de grand, de plus grand.

Et (vous le savez pourtant), c'est en entrant une bonne fois pour toutes à l'intérieur de vous que vous trouverez les réponses que votre compulsion et votre démesure cherchent à vous faire fuir. C'est en développant une vie spirituelle que vous risquez davantage que par n'importe quelle autre voie d'atteindre un état de bien-être réel et durable. Cette voie plus que toutes les autres est en mesure de vous combler et surtout de combler ce vide permanent que vous cherchez à remplir par une occupation constante. Vous pouvez puisez là une force et une énergie plus saine qui sauront vous guider de manière équilibrée sur le chemin de la vie en vous permettant de fonctionner en ayant en tête les bonnes raisons pour lesquelles vous les ferez désormais. Vos inquiétudes et vos angoisses perdront beaucoup de leur impact sur vous puisqu'elles seront remplacées par davantage de confiance et d'amour, envers vous, les autres et la vie en général.

En accordant du temps à votre croissance spirituelle, vous vous accorderez déjà du temps à vous ce qui sera en soi, une bonne victoire de gagnée. La spiritualité nous invite à prendre le temps de vivre, mais aussi de se vivre, soi, de vivre en soi.

Quand nous affirmons que nous ne sommes pas uniquement ce que nous faisons, mais aussi et surtout ce que nous sommes, nous entrons de plein fouet dans le domaine spirituel. Tout n'existe pas qu'en dehors de nous, mais d'abord et surtout en dedans. Voilà une donnée fondamentale à laquelle vous devriez désormais tenter d'accorder l'importance qu'elle mérite. Écoutez par ailleurs votre cœur ; laissez-le parler aussi, il a tant à dire, depuis le temps que vous laissez surtout votre tête diriger vos divers faits et gestes.

En accordant de la place à votre vie intérieure, vous vous découvrirez de nouvelles forces qui vous donneront une toute nouvelle énergie. Vous trouverez la joie dans les plaisirs simples de la vie et serez plus encline à trouver un véritable sens à cette vie qui commençait à ne plus en avoir, pour vous. Vos valeurs changeront sans aucun doute, vos priorités suivront le pas. Plus vous plongerez dans cette vie intérieure, plus vous vous sentirez vraie et plus vous aurez de l'estime pour vous-même.

CONCLUSION

Votre mode de vie actuel n'est pas sain, vous le savez pertinemment bien. Si vous persistez à poursuivre dans cette voie, et vous le savez aussi désormais, vous courrez à votre perte. Vous pourriez perdre gros : votre santé, votre mariage, votre travail. Votre rythme démesuré met en déséquilibre tout ce qui vous entoure.

Si vous êtes encore maître de votre vie et désirez le demeurer, rentrez-vous dès maintenant dans la tête que vous avez le choix de tout et de quoi que ce soit. Cessez de dire que vous vivez la démesure parce que vous n'avez pas le choix, que c'est la société qui vous l'impose. C'est faux. Vous êtes libre de vivre à votre rythme, de faire les choix qui vous conviennent, de dire non. Vous êtes libre de débarquer de la course et de prendre la voie de service ou quelconque route de campagne qui vous donnera le loisir d'apprécier le paysage. Il vous faudra seulement, avant, apprendre à trouver votre valeur ailleurs que dans la quantité de choses que vous pouvez accomplir. Il vous faudra, d'abord, faire un mégaménage au cœur même de vos tripes, de vos émotions, de votre histoire. Vous portez en vous des souvenirs qui vous ont fait prendre une voie qui ne correspond pas nécessairement à votre réalité d'aujourd'hui, ou à ce qu'elle pourrait être. Libérez-vous de ces liens qui vous étouffent et reprenez le seul véritable contrôle qui vous appartienne : celui de votre vie, le seul que vous ayez laissé vous échapper.

Abandonner la recherche de la perfection n'est pas une mince affaire, mais le recouvrement du bonheur passe entre autres choses et dans une large part par cette voie. Oui, il vous faudra changer. Oui, le changement vous fait peur, comme à tout le monde. Il vous fait peur, notamment parce qu'il vous obligera à vous pencher sur vous, à vous remettre en question, de l'intérieur, chose que vous n'avez pas souvent faite dans votre vie. Mais il vous permettra de construire votre vie sur de nouvelles bases, sur des fondations plus solides qui pourront compter sur un être véritablement plus fort, de l'intérieur. Sur un être qui n'aura plus besoin de l'approbation des autres pour se sentir avancer dans la vie. Sur un être qui s'approchera de la plus belle liberté qui soit : celle d'être ce qu'il a envie d'être. Vous, comme vous auriez toujours dû être.

TABLE DES MATIÈRES

Marquis imprimeur inc.

Québec, Canada
2010